# MAGIA COTIDIANA

Ritos y hechizos para la vida moderna

Dorothy Morrison

# MAGIA
# COTIDIANA

### Ritos y hechizos para la vida moderna

**MAGIA COTIDIANA**
*Ritos y hechizos para la vida moderna*

Título original en inglés: *Everyday Magic. Spells & Rituals
for Modern Living*

Traducción: Gilda Margarita Moreno M.,
            de la edición de
            Llewellyn Publications,
            St. Paul, 1998

D.R. © 1999 por EDITORIAL GRIJALBO, S.A. de C.V.
        Calz. San Bartolo Naucalpan núm. 282
        Argentina Poniente 11230
        Miguel Hidalgo, México, D.F.

ISBN 970-05-1082-4

IMPRESO EN MÉXICO

## Dedicatoria

A todos aquellos que instintivamente cantan la tonada de la Naturaleza, danzan con la melodía de la magia y se mecen rítmicamente al son del Universo.


## En memoria de...

Mi padre, Ed, y mi hermana, JoAnna, cuyo entusiasmo por vivir significó una fuente de inspiración constante para mí. Gracias por alentarme a seguir los instintos de mi corazón, por mostrarme las alegrías de una espiritualidad libre y por enseñarme que siempre vale la pena pagar el precio de la individualidad. Los extraño a ambos. Descansen en paz hasta nuestro próximo encuentro.

George "Pat" Paterson, fundador de la Tradición Georgiana y de la Iglesia de Wicca, Bakersfield, quien pasó a mejor vida antes de que nos conociéramos, pero que dejó una huella en mi vida mágica y en la mundana. Su trabajo me mostró la magia de la diversidad. ¡Bendito seas, Pat!

## Brebaje elemental

*Una gota de ese aceite esencial necesitamos:*
*Aliento de vida con el cual luchamos,*
*Un grano de arena, un mundo completo, entran*
*Y dentro de la botella se encuentran.*

*Una chispa, una flama, la luz de las musas*
*Sobre la oscura cara de la noche usas;*
*Un trago, para algunos, las aguas aclararán*
*Y éstos, así también, aquí se fundirán.*

*De entre la niebla, las brumas del frío,*
*Comienzo del crepúsculo y el beso del rocío,*
*A la radiante estrella de la tarde y al Sol naciente,*
*¡Vengan todos a unirse a la diversión creciente!*

Merry

# Índice

———◆———

## Parte uno
## Artes Ancestrales, soluciones modernas

## Parte dos
## Magia moderna para gente ocupada: un libro de secretos mágicos (Grimoire)

# Agradecimientos

◆

dar a luz un libro no es muy diferente de dar a luz a un bebé humano. Luego del éxtasis de la concepción te das cuenta de que el proceso verdadero de dar a luz es una culminación de las influencias, los esfuerzos y los talentos de otros, y que tú eres sólo el recipiente del cual surge el crío. Siendo éste el caso con este libro, hay muchos a quienes agradecer, en especial a las siguientes personas por participar como parteras, enfermeras y entrenadores de parto.

A las Musas, quienes me insistieron en que tomara nota de sus ideas, infinitas ideas y consejos, aunque esto significara sacudirme para despertar a medianoche.

A Sarasvati, Reina de la escritura, la elocuencia y las palabras, cuyos esfuerzos constantes crearon frases y párrafos incluso de los esquemas de pensamiento más vagos.

Al Señor, la Señora y los Antiguos, cuya guía amorosa y ánimo entusiasta me incitaron a compartir con los demás estas técnicas no tradicionales.

Al "Hombre Verde" —mi esposo y amigo—, quien me inspira con su amor a los bosques y su trato a los ritos sagrados de la vida, la muerte y el renacimiento.

A mis padres adoptivos, A. J. y Sandy, quienes me aman tal y como soy, con mi testarudez y otros atributos.

A Trish, mi amiga y mentora, quien me regaña cuando es necesario, me hace reír cuando creo que no puedo, y me inspira con la sabiduría de la experiencia.

A Gay, quien me enseñó que la supervivencia a lo mundano viene sólo de vivir una vida mágica verdadera y que, con la suficiente práctica, aun una Diosa de la Tierra puede correr tras una pelota lanzada al aire por los cuernos de Aries.

A Hannah, Vicki, InaRae, Julie, Endora, Linda Lee, Randi, Vivienne, y a todos los miembros de mi gran familia, quienes me enviaron abrazos y sonrisas de larga distancia cuando más falta me hacían.

A Arwen Nightstar, quien amablemente permitió el uso de su rito de liberación como base para el "Ritual de la muerte/eutanasia de mascotas", y cuyos regalos de pedrería (aunque originalmente no fueran dirigidos a mí) siempre acaban quedándose conmigo.

A Auralii, quien generosamente compartió conmigo su "Bendición Matutina de las Tres Hermanas" y permitió que la remodelara para su uso en este libro, y cuya facilidad para pensar positivamente y su don espontáneo para dar son insuperables.

Pero sobre todo, a ti, lector. Solamente por medio de tus esfuerzos puede la magia alcanzar la inmortalidad y el poder necesario para construir un mundo mejor para las futuras generaciones.

Gracias desde lo más profundo de mi corazón y bendiciones amorosas a todos ustedes.

# Introducción

———◆———

el mundo actual es un sitio ajetreado y la vida en él es atareada. Ya sea que trabajemos dentro o fuera de nuestro hogar, nuestros programas diarios se asemejan más a una novela que a una lista de asuntos pendientes. Nos apuramos desesperadamente para lograr cumplir con nuestros compromisos, dirigir nuestras vidas personales, atender a nuestros seres queridos y quizá escatimar un poco de tiempo para nosotros mismos. Es una proeza casi imposible. Al final del día sucumbimos exhaustos y en lo único en que podemos pensar es en tirarnos a la cama. ¿Quién tiene tiempo para practicar la magia?

En los días de nuestros antepasados, la práctica de la magia no parecía presentar el dilema de programación que presenta ahora. Si bien el ritmo de la vida era más lento, las cargas de trabajo eran igualmente pesadas. Para nuestros ancestros, un día normal implicaba levantarse temprano, acostarse tarde, y entretanto realizar una serie constante de trabajos laboriosos y muy pesados. Peor aún, ellos no contaban con la tecnología actual para dar Soluciones sencillas a problemas cotidianos. Por consiguiente, es probable que tuvieran menos tiempo libre que nosotros en la actualidad. Y, sin embargo, encontraban el tiempo para practicar las Artes Ancestrales.

¿Cómo era posible?

Nuestros antepasados consideraban la práctica de la magia como un modo de vida más que como un conjunto de eventos individuales. Ese poder formaba parte integral de cada minuto de su día y de cada bocanada de aire que respiraban. De ahí que virtualmente no existiera una separación entre lo mundano y lo mágico. Cada acto —cocinar, limpiar, arar, aun dormir— se volvía una función mágica y su culminación era una razón para celebrar a los dioses.

Vivir una existencia mágica es simplemente una cuestión de asumir una visión nueva en cuanto a lo que la magia es y lo que no es. Para comenzar, la magia no es una práctica.* Es una red de energía que está viva y que respira y que, si se lo permitimos, puede abarcar todas y cada una de nuestras acciones. No es un proceso exhaustivo ni hace nuestras vidas más difíciles. En cambio, facilita nuestro sendero, aumenta nuestra energía y eleva nuestros niveles de producción. Pero lo más importante es que nos ahorra tiempo. Al incorporarla al paso acelerado de nuestra vida, dirigida por la tecnología, puede recortar nuestras cargas de trabajo y darnos el tiempo adicional que necesitamos para divertirnos, descansar y relajarnos.

Pero, ¿cómo puede algo tan antiguo mezclarse con un mundo basado en la tecnología? La respuesta es sencilla; la energía mágica depende de la misma fuerza en la que se basa gran parte de la tecnología: la electricidad. Un curso rápido sobre los Elementos y sus fuerzas vibratorias puede ayudarnos a comprobarlo.

Una fuerza mágica que podemos ver y escuchar fluye a través de la esencia del Elemento Fuego y le da vida. Lo vemos en el movimiento danzante y flexible de la llama y lo escuchamos explotar y crujir en un criSol. Debido a que la fuerza mágica reacciona de forma similar a la electricidad y mantiene una carga positiva, se le conoce como fluido eléctrico. Se relaciona directamente con las cualidades expansivas del Fuego.

Al contrario del Fuego, las cualidades magnéticas fluyen por la matriz del Elemento Agua. Las podemos sentir en la corriente de un río y las vemos

---

* En el libro uso la palabra *practicante* únicamente porque no existe un término mejor. Con esta palabra se describe a quienes trabajan con las Artes Ancestrales.

cuando las mareas suben al salir la Luna. Esta fuerza se llama fluido magnético; tiene una carga negativa y está directamente relacionada con las cualidades de disminución y contracción del agua.

El Elemento Aire tiene una relación especial con el Fuego y el Agua. Al primero, lo alimenta y lo fortalece, y a la segunda, le cambia su densidad, transformándola en neblina, lluvia, aguanieve y nieve. A pesar de que el Fuego y el Agua habitan polos opuestos, pueden mezclarse y formar vapor, humo y rayos, pero no sin la ayuda de un puente mediador o una base. El Aire proporciona la fuerza básica entre ambos.

El Elemento Tierra contiene los Elementos Fuego, Agua y Aire en sus formas más sólidas. Juntos forman rocas, lava y glaciares; hacen nuestros suelos ricos, húmedos, cálidos y polvorientos. Debido a que la Tierra involucra activamente a los otros tres Elementos y su fuente de vida es su combinación, llamamos a su fuerza fluido electromagnético.

Al manejar las fuerzas de los Elementos —algo básico para la magia natural—, combinamos todos los componentes necesarios para producir electricidad estática. Lo sepan o no, aun los más estrictos practicantes de las Formas Ancestrales, al igual que sus ancestros, trabajan con fuerzas tecnológicas. Como dichas fuerzas existen en forma subyacente, no hay nada que impida combinarlas "en la superficie" involucrándolas directamente y permitiendo que nos ayuden en nuestros esfuerzos para lograr una magia exitosa.

Ver la magia desde este ángulo aporta una perspectiva distinta sobre sus prácticas y beneficios. Darnos cuenta de que la magia comparte un elemento común con la tecnología abre una gama de posibilidades para el uso de artículos de comodidad modernos como herramientas mágicas. Esto en sí mismo ahorra tiempo, dinero y esfuerzo, todos ellos mercancías de abastecimiento limitado en nuestro atareado mundo. Además, la magia tiene la capacidad de reSolver muchos de los problemas tecnológicos que enfrentamos hoy, como la caída de sistemas de cómputo, la descompostura de maquinaria y problemas de tránsito. El planteamiento sobre si el actual estilo de vida nos deja tiempo suficiente para practicar la magia pronto se torna irrelevante. La cuestión ahora es decidir si nosotros tenemos el tiempo para *no* incorporarla a nuestras vidas. Personalmente, no lo creo.

# ARTES ANCESTRALES

◆

## SOLUCIONES MODERNAS

parte uno

## botellas y frascos de esto y aquello

*Botellas y frascos en la vitrina cantaban,*
*Libremente una tarde, danzaban y saltaban.*
*¡Qué felicidad ser llenados! ¡Un deseo hecho realidad!*
*Pétalos y conchas, y aguas tan azules de verdad,*
*Venidos del ancho mundo, arenas y granos,*
*Palabras salpicadas por una miríada de manos.*

*De la vitrina volaron frascos y botellas, todos*
*Pidiendo ser nuevamente utilizados.*
*El canto y la danza se prolongaron todo el día,*
*Niños de la vitrina, salgan a jugar con alegría,*
*Claros, resplandecientes y limpios, algunos destapados,*
*También vengan los sucios, polvorientos y empañados.*

Merry

# capítulo uno

# Propulsores mágicos

Casi cualquiera puede hacer un hechizo, y no tienes que ser un genio para obtener buenos resultados. Lo único que un hechizo requiere es una intención sólida, concentración y la habilidad de canalizar energía a la dirección específica que se desee. Sea como fuere, los resultados no siempre se comparan a la visión original, y si un hechizo no llega a fructificar en los siguientes veintiún días, o menos, es muy posible que no funcione en abSoluto. ¿Por qué? Porque algunas fuerzas cósmicas pueden afectar nuestros esfuerzos mágicos, y si las condiciones no son idóneas, aun los hechizos mejor planeados pueden fracasar antes de alcanzar su objetivo.

Trabajar con propulsores mágicos es una buena manera de prevenir que esto suceda e incrementar las posibilidades de éxito en la magia. Por ejemplo, el día de la semana o la hora del día en que se inicia un hechizo podría establecer las condiciones adecuadas para poner la magia en movimiento. Utilizar un elemento o un color específicos para el hechizo puede acelerar los resultados. Incluso la dirección hacia donde sopla el viento puede hacer una diferencia en el efecto mágico.

## Atmósfera y entorno de trabajo

Crear la atmósfera propicia para un buen trabajo de hechicería es probablemente el paso más importante que puede darse para lograr que la magia tenga éxito. La atmósfera nos pone de cierto humor, moldea el estado de ánimo y crea expectación. Tratar de trabajar en un sitio que no tiene un sabor mágico es tanto como tratar de construir una casa sin las herramientas apropiadas. Las cosas sencillamente no se sostienen bien.

Crear la atmósfera apropiada para hacer magia no es difícil y no hay forma de equivocarse. Todo lo que se requiere es un espacio pequeño, una poca de imaginación y algunos objetos que representen "magia" para ti.

A algunas personas les gusta usar un altar para crear un entorno mágico, porque les recuerda que la hechicería es un trabajo de tipo espiritual. Erigen altares formales, con velas, incienso y símbolos del Señor y la Señora. Otros optan por una forma más informal, preparando un espacio que no se asemeja en nada a un altar, sino que más bien es un arreglo de objetos interesantes. Uno de mis altares, por ejemplo, contiene una mecedora miniatura hecha de vid y flores deshidratadas, una canasta de granadas desecadas, un tapete antiguo, una botella perfumera color azul cobalto, varios paquetes de semillas y un surtido de cristales y piedras. El que no parezca un altar de ningún modo le resta su valor mágico. De hecho, algunos de mis trabajos con mejores resultados comenzaron en ese espacio.

Hacer un altar no es la única forma de crear un entorno mágico. Entre los espacios más sagrados en mi hogar están un estante repleto de castillos construidos con cubos, una gran vitrina de madera para guardar especias, una repisa repleta de violetas africanas, y la pared que está frente a la mesa de mi computadora.

El punto es que el entorno de trabajo que tú crees no tiene que transmitir tus prácticas para la propiciación mágica. Lo importante es que sientas su poder al entrar a esa área. Sentirlo te hace sentir mágico, o mágica, y quien se siente mágico produce magia potente.

## Fases Lunares

La Luna irradia una energía fresca, femenina, de una sensación plateada, la cual rige las aguas dadoras de vida en nuestro planeta —lluvias, mares y rocío—, y las del cuerpo físico, como los ciclos menstruales y otros fluidos corporales. También rige todas las respuestas emocionales. Las emociones puras, enfocadas apropiadamente, energizan o dan poder a la magia. Por esta razón, muchos practicantes trabajan conjuntamente con aquella fase del ciclo Lunar que se encuentra en armonía con su objetivo mágico.

### ◆ Luna creciente

Esta fase ocurre cuando la Luna crece de nueva a llena. En ella, la Luna provee la energía adecuada para las obras de magia que requieren plenitud o crecimiento. Es una ocasión idónea para inicios, nuevas intenciones y nuevos amores, y benéfica para hacer negocios, amistades, sociedades y prosperidad financiera. La fase creciente también es propicia para plantar hierbas, desarrollar el psiquismo y aumentar la salud física y el bienestar.

Para sellar hechizos efectuados durante la Luna creciente, utilice este canto, o uno de su propia elección:

> Oh, Luna virginal, escucha mi plegaria:
> ¡Escucha, escucha esta aria!
> Mientras creces, mi hechizo aumenta
> Y fortifica su magia con tu danza lenta.

### ◆ Luna llena

La energía de la Luna está en su intensidad máxima cuando alcanza su plenitud. Cualquier obra mágica, especialmente las difíciles, puede aprovechar ampliamente la potencia que brinda esta fase. Utilice la Luna llena para amplificar el propósito mágico y para dar poder adicional al hechizo.

Para sellar hechizos efectuados durante la Luna llena, utilice este canto, o uno de su propia elección:

> Madre abundante, Luna tan brillante,
> Escucha mi plegaria en esta noche elegante.
> Préstale a este hechizo tu fértil poder;
> Hazlo potente, fuerte y ordénale crecer.

### ◆ Luna menguante

El encogimiento de la Luna llena a la Luna nueva se llama fase menguante y ofrece una energía conveniente para la recesión, la separación pacífica o la eliminación. Utilice la Luna menguante para terminar con costumbres alimenticias indeseables, para romper con malos hábitos, para alejarse de relaciones disfuncionales o situaciones estresantes. Sus energías favorecen todas las obras mágicas que requieren una disminución o eliminación total.

Para sellar hechizos efectuados durante la Luna menguante, utilice este canto, o uno de su propia elección:

> Oh, Anciana llena de gracia, escucha mi rezo:
> Con tu guía, conduce este hechizo.
> Remueve todo bloqueo o titubeo,
> Y lleva este hechizo a donde deseo.

### ◆ Luna nueva

Algunos practicantes utilizan esta fase como un periodo de descanso. La encuentran conveniente para la regeneración, la relajación y la acumulación de energía para la fase creativa de la Luna creciente.

Otros prefieren usar esta fase para la meditación, para incrementar su poder psíquico, o bien, para ahondar en recuerdos del pasado que les ayuden a entender mejor sus dificultades presentes. La energía de la Luna nueva también se presta para la adivinación y para asuntos donde la verdad es un punto central.

Para sellar hechizos efectuados durante la Luna nueva, utilice este canto, o uno de su propia elección:

Te invoco, oh Hechicera sabia, sin recelos:
Tú que riges los más oscuros cielos,
Ven y sé mi huésped más preciada,
Y haz que esta búsqueda mágica sea alcanzada.

## Fases Solares

El Sol emite una energía masculina sencilla, directa, cálida y con una sensación dorada. A diferencia de la Luna, el Sol atraviesa diferentes fases cada día, brindando al practicante oportunidades ilimitadas para hechizos inmediatos. Su amplia gama de propiedades puede propulsar casi cualquier obra mágica normalmente apoyada por la Luna.

### ◆ Amanecer

El amanecer otorga sus energías a los inicios, los cambios y las purificaciones. Esta fase es benéfica para trabajos mágicos que involucren nuevos propósitos en el trabajo, el amor o la dirección en la vida. Esta energía puede ser sumamente útil para asuntos relacionados con el rejuvenecimiento, como la esperanza y la confianza renovadas, la buena salud o incluso la cura de un corazón herido.

Para sellar hechizos efectuados al amanecer, utilice este canto, o uno de su propia elección:

Oh crío, recién nacido con alegría,
Ayúdame en este nuevo y brillante día.
Ayuda a este hechizo con tu fresco poder,
Y fortalécelo a cada hora sin dejarlo perder.

### ◆ Mañana

Durante las horas de la mañana, la energía del Sol se expande, se activa y adquiere más fuerza. Cualquier proyecto que requiere edificarse, crecer o expandirse funcionará muy bien durante esta fase. Es un momento excelente para construir sobre los aspectos positivos de su vida, para resolver situaciones donde se requiere de mucho valor y para añadir calidez y armonía a su hogar. La energía del Sol de la mañana es también benéfica cuando se ejerce magia sobre plantas o en conjuros para mejorar la situación financiera.

Para sellar hechizos efectuados durante la mañana, utilice este canto, o uno de su propia elección:

> Oh, hermano Sol de fuerza creciente,
> Ven a mí y permanece a mi lado, paciente.
> Envuelve este hechizo con intensidad
> Y añade a él tu potencia y densidad.

### ◆ Mediodía

La influencia del Sol alcanza su máximo al mediodía. Esta vibración es excelente para hechizos relacionados con la habilidad mental, la salud y la energía física. También es de gran valor para cargar de energía cristales, piedras o herramientas de metal como las varas mágicas, incensarios y los calderos.

Para sellar hechizos efectuados al mediodía, utilice este canto, o uno de su propia elección:

> Padre Sol de fuerza y poder,
> Ayuda a este hechizo el vuelo a emprender
> Hacia su objetivo, ahora por favor condúcelo y
> Aumenta su poder durante su vuelo.

### ◆ Atardecer

Mientras el Sol desciende, sus energías adquieren una calidad receptiva. Utilice esta fase para hechizos relativos al profesionalismo, los asuntos de negocios, las comunicaciones y la claridad. También resulta benéfico para aquellos conectados con la exploración y los viajes.

Para sellar un hechizo efectuado durante el atardecer, utilice este canto, o uno de su propia elección:

Anciano de luz ámbar:
¡Mi plegaria has de escuchar!
Lleva este hechizo a donde tiene que ir,
Y dale poder para que pueda surgir.

### ◆ Ocaso

Las energías predominantes del ocaso proveen condiciones propicias para hechizos que requieren una reducción o un alivio. Esta fase se presta para eliminar el estrés y la confusión, las dificultades y la depresión y para desenmascarar engaños. Asimismo, es un buen momento para la magia referente a las dietas.

Para sellar hechizos efectuados en el ocaso, utilice el siguiente canto, o uno de su propia elección:

Oh puesta de Sol del día en paso,
Ayúdame con tu gentileza, sin rechazo.
Toma este hechizo, oh gran Anciano;
Dale tu fuerza y no transites en vano.

## Los vientos

Saber aprovechar el poder de los vientos puede añadir una intensidad increíble a la magia. Los dones de vibración de los vientos difieren según la dirección de donde soplen, permitiendo al practicante elegir de un vasto surtido de energías para sus hechizos. Si no sabe distinguir fácilmente en qué dirección sopla el viento, cuelgue una manga de aire fuera de su ventana.

### ◆ Vientos del este

Los vientos del este constituyen una excelente oportunidad para ejercer hechizos que implican cambios, transformación, nuevos inicios y perspectivas frescas. También prestan su poder a actividades de inspiración, comunicación y creación. Proveen las condiciones idóneas para efectuar hechizos escritos, para crear rituales y para conversar con su guía espiritual.

### ◆ Vientos del sur

A pesar de ser utilizados comúnmente por los practicantes para realizar hechizos relacionados con el amor, la lujuria y la pasión, los vientos sureños nos dan muchas otras oportunidades: ofrecen las condiciones perfectas para obras que implican vitalidad, iniciativa, fuerza de convicción y determinación, así como aquellas en que es necesario resolver la ira, los celos y el egoísmo.

### ◆ Vientos del oeste

Los vientos que soplan del oeste contienen cualidades saneadoras y purificadoras, lo que los hace buenos conductores para los hechizos asociados con aspectos físicos y emocionales. Ofrecen igualmente condiciones propicias para el fortalecimiento de la intuición y obras relativas a la fertilidad y productividad mental y física. Algunos practicantes también utilizan estos vientos para resolver asuntos del corazón.

### ◆ Vientos del norte

La fuerza fría de los vientos del norte provee condiciones adecuadas para efectuar obras de naturaleza práctica, es decir, asuntos relativos al manejo del hogar o de las finanzas, o bien aquellos en los que es importante mantener la mente despejada. Cuando estos vientos soplan, es el momento de planear hechizos que desee realizar cuando cambien de rumbo.

## Días de la semana

Cada día de la semana está gobernado por una divinidad distinta y tiene un campo de energía y vibración propios. Por esa razón a algunos practicantes les gusta hacer sus hechizos el día que armoniza con su propósito. Trabajar con las vibraciones de un día específico es una buena forma de aumentar la eficacia, el poder y el éxito de un hechizo.

### ◆ Domingo

El primer día de la semana está regido por el Sol. Es un momento excelente para trabajos que involucren a sociedades de negocios, ascensos en el trabajo, proyectos empresariales y éxito profesional. También los hechizos para las amistades, la salud mental o física, o para devolver la felicidad a la vida, funcionan muy bien este día.

### ◆ Lunes

El lunes pertenece a la Luna. La energía de este día se alinea de manera óptima con trabajos referentes a la mujer, la casa y el hogar, la familia, el jardín, los viajes y la medicina. También impulsa los rituales ligados al desarrollo psíquico y a los sueños proféticos.

### ◆ Martes

Marte gobierna el martes. Las energías de este día armonizan mejor con obras relacionadas con vibraciones masculinas: conflictos, resistencia y fuerza físicas, lujuria, caza, deportes y todo tipo de competencias. Utilícelas también para rituales asociados con intervenciones quirúrgicas y proyectos políticos.

### ◆ Miércoles

Este día está gobernado por Mercurio. La vibración del miércoles añade poder a los rituales que se asocian con la inspiración y las comunicaciones, con escritores y poetas, con la palabra escrita y hablada y todos los aspectos del aprendizaje, el estudio y la enseñanza. Este día también es propicio para iniciar obras relacionadas con la superación personal y el entendimiento.

### ◆ Jueves

Júpiter preside al jueves. Las vibraciones de este día sintonizan bien con todos los aspectos que tienen que ver con ganancias materiales. Aprovéchelo en rituales para el éxito en general, los logros, honores y premiaciones o los aspectos legales. Estas energías también son de gran ayuda en cuestiones de suerte, apuestas y prosperidad.

## ◆ Viernes

El viernes corresponde a Venus, y sus energías son cálidas, sensuales y plenas. Este día son eficaces los trabajos que involucran cualquier tipo de placer, comodidad y lujo, así como las artes, música o aromas (incienso y perfume). Debido a que Venus otorga sus influencias sensuales a las energías de este día, utilícelas para cualquier obra mágica vinculada con cuestiones del corazón.

## ◆ Sábado

Saturno otorga sus energías al último día de la semana. Debido a que Saturno es el planeta del karma, este día es excelente para efectuar hechizos que se refieren a la reencarnación, las lecciones kármicas, los misterios, la sabiduría y los proyectos a largo plazo. También es un día propicio para empezar obras dirigidas a gente mayor, a la muerte o la erradicación de pestes y enfermedades.

# Color

El color juega un papel importante en el mundo físico. Afecta el modo en que sentimos, actuamos o decidimos y, a menudo, nuestros niveles de energía y productividad. Por ejemplo, es más probable que un policía detenga un auto de color rojo o amarillo que uno de color más discreto. Aparentemente, las mujeres que se visten de rojo y negro intimidan más que las que usan tonos azules, verdes o pastel. Normalmente pensamos que los hombres que visten trajes grises son conservadores, en tanto que los colores llamativos transmiten un mensaje más liberal.

El color influye en nuestras vidas en maneras que no entendemos. Esto se debe a que el color actúa directamente sobre nuestras emociones y sacude las olas debajo del mundo superficial. Debido a su relación directa con las reservas emocionales, no es sorprendente que tenga también un intenso efecto en el trabajo mágico.

La siguiente información representa un punto de partida para incorporar los colores a la magia. Éstas son sólo guías, así que siéntase libre de desviarse de ellas para adaptarlas a sus gustos y necesidades.

### ◆ Amarillo

Vista de amarillo si siente que sus opiniones y necesidades no son escuchadas o cuando sienta que alguien no lo está tomando en cuenta. Funciona bien en rituales que involucran comunicación, desempeños creativos, éxito y alegría. Utilícelo también para invocar al Elemento Aire y a Dios.

### ◆ Azul oscuro

Vista este color cuando sienta la necesidad de organizarse y desee añadir estructura a su vida. Úselo en trabajos mágicos para invocar al Elemento Agua o como un matiz general para llamar divinidades femeninas.

### ◆ Azul pálido (claro)

Vístase de este tono cuando se sienta confundido, necesite aclarar su mente o se sienta fuera de control. También funciona bien en obras mágicas conectadas con la tranquilidad, la paz, la calma, la curación y los sueños placenteros.

### ◆ Blanco

Vista de blanco para aliviar la tensión y para enfocarse mejor en sus objetivos de vida. Utilícelo en hechizos que requieran claridad y guía espiritual o para invocar la fase de Virgen o Doncella de la Diosa Triple. Si es necesario, puede sustituir el blanco por cualquier otro color sugerido en el hechizo, ya que éste es la combinación de todos los colores de la gama.

### ◆ Café

Si tiene excesos de energía y necesita poner los pies en la tierra y centrarse, el café es un buen color para usted. Pruébelo en hechizos que involucran el sentido común, que buscan traer estabilidad a la vida o para difuminar situaciones potencialmente dañinas.

### ◆ Durazno

El color durazno proyecta seguridad, discreción y confianza. Si lo lleva puesto, los demás lo verán como una fuerza no amenazadora en sus vidas. Pruébelo en hechizos relacionados con la bondad, la gentileza, la simpatía, la empatía y los buenos deseos.

### ◆ Lavanda

Para relajarse, aun en situaciones de máximo estrés, lleve prendas de tono lavanda. Utilice este color en obras mágicas que involucren el intelecto, para atenuar energía errática y para provocar que la belleza interna se exteriorice.

### ◆ Malva

Para lograr la cooperación de quienes le rodean, vista de malva. Funciona bien en hechizos que tratan con la intuición, la confianza y la seguridad en sí mismo.

### ◆ Naranja

Para mitigar la pereza y aumentar la motivación personal, vista de naranja. Es eficaz en rituales para atracción y hechizos para el logro de resultados positivos en exámenes académicos, proyectos de negocios y propuestas.

### ◆ Negro

Color que generalmente se asocia con figuras clericales y ministeriales. Vestir de negro evita que otros chismeen sobre usted, se inmiscuyan en sus asuntos o interfieran en su vida. Utilícelo en asuntos vinculados con la separación y la sabiduría, con el ocultamiento de cosas, así como para invocar la fase de Bruja de la Diosa Triple.

### ◆ Oro

Vístase de color oro para sentirse próspero y seguro. A algunos practicantes de magia les gusta poner una vela dorada sobre el altar para representar a Dios.

◆ **Plata**

El color plata sirve para reducir la confusión interna y lograr un estado de ánimo apacible. Algunos practicantes de magia ponen una vela plateada en su altar para representar a la Diosa.

◆ **Púrpura**

Para ganarse el respeto de los demás, vista de púrpura. (Es el color idóneo para vestir en una entrevista de trabajo.) Utilícelo en rituales que implican espiritualidad, habilidad mental y poderes psíquicos, así como para invocar al Elemento Akasha.

◆ **Rojo**

Vista de rojo cuando necesite tomar las riendas de una situación difícil. Es especialmente útil para las personas tímidas con puestos de autoridad. Este color sirve para hechizos relativos a la actividad, la pasión, el deseo sexual, la vitalidad, la fuerza y la energía. También es eficaz para invocar al Elemento Fuego o a la fase de Madre de la Diosa Triple.

◆ **Rosa**

Vestirse de este color estimula el amor propio y puede contribuir a que su mejor amigo sea usted mismo. Sirve para hechizos que se relacionan con el amor romántico, la amistad y la armonía.

◆ **Turquesa**

El turquesa es obligado para aquellos que son obsesivos del trabajo. Vestirlo puede contribuir a calmar sus ímpetus y a situar sus cargas de trabajo dentro de una perspectiva. Utilícelo en rituales involucrados con el alivio del estrés, el estudio, la retención de conocimientos y para encontrar la lógica en situaciones donde no parece haberla.

### ◆ Verde

Para incrementar su ambición, aceptar mejor los retos y lograr una sensación de independencia, use el verde. Es eficaz en hechizos enfocados al crecimiento, la fertilidad y la prosperidad. Úselo para invocar al Elemento Tierra.

### ◆ Verde oscuro

Este tono equilibra el lado práctico de la naturaleza humana con el ser espiritual de cada uno. Vestirlo le hace sentir que puede manejar cualquier situación que la vida le imponga. Utilice este color en hechizos asociados con manejar cuestiones prácticas, la toma de decisiones y para lograr equilibrio, o cuando el objetivo es ganar confianza.

## Palabras

Las palabras son una de las más poderosas herramientas de las que se sirve la magia. Su poder se deriva de su uso constante con fines de comunicación. Dependemos de ellas para transmitir hechos y opiniones. Las utilizamos para expresarnos y para compartir nuestros sentimientos y emociones más profundas. Al emplearlas en forma repetitiva, positiva y afirmativa sabemos que es posible modificar nuestras vidas y las vidas de aquellos que nos rodean. Todo lo que tenemos que hacer es tomarlas y ponerlas en práctica.

Los conjuros no necesitan ser pretenciosos o elaborados. El único requisito es que las palabras especifiquen claramente el deseo. Por ejemplo, al conjurar un hechizo de protección, puede decir algo como:

Señor y Señora, protéjanme
De todo mal evidente u oculto.

Este tipo de redacción es sencillo pero claro y conciso. Da poder y dirección al hechizo.

Si bien el ejemplo anterior es eficaz y no deja lugar a malentendidos cósmicos, el uso de rimas pareadas (forma poética en la que la última palabra de cada par de oraciones rima) también es una técnica común para mucha gente que cree en la magia. La práctica de emplear pareados para que los conjuros rimen probablemente se remonta a tiempos muy antiguos. La referencia más común de esta práctica se encuentra en *The Wiccan Rede* (Leyendas/Estrofas Vicanas), que dice:

> **Para que un hechizo siempre dé resultado**
> **Procuremos que al decirlo esté bien rimado.**

Cómo y cuándo comenzó esta práctica es algo que nadie sabe. Pero lo más probable es que haya surgido por la necesidad de memorizar hechizos durante una época en la que escribirlos no era recomendable y se corría el riesgo de perder la seguridad personal. Pero, dejando a un lado la memorización, posiblemente la razón principal para que se continúe usando se deriva del poder que añadió a los trabajos de magia. He aquí algunas razones por las que debería considerar el uso de rimas y pareados en su magia:

1. Si bien el hechizo es guiado por expresiones directas, las rimas pareadas lo hacen fluir suavemente y de manera más rica. Es como usar pintura en polvo: si introduce el dedo en el polvo y lo embarra después en papel, el color se quedará, pero si le añade agua al papel, verá que surge a la vida todo un mundo nuevo. La pintura tiene sustancia, fluye vibrantemente a lo largo de la hoja de papel y cubre un área mayor en menos tiempo. La rima hace lo mismo con los conjuros.

2. Los pareados dan ritmo a los hechizos, el cual aumenta la fluidez, contribuye a crear el estado alterado de conciencia necesario para ejercer una magia poderosa y abastece al practicante de un punto focal. Descubrimos cómo las rimas pueden ponernos en un estado de invocación/trance cuando, siendo niños, saltábamos la cuerda al ritmo de coplas y cancioncillas cuyo sonsonete nos ayudaba a llevar la cuenta. Aun así, a

menudo nos llevaba a otra dimensión, donde perdíamos toda conciencia del movimiento de los pies. Al usar rimas pareadas en un hechizo podemos transportarnos a un plano entre los mundos —el sitio donde comienza la magia—, y de todas maneras seguir concentrados en lo que hacemos.

3. El uso de la rima actúa como un tipo de adhesivo flexible que une todas las piezas del hechizo y las mantiene en su sitio. Esto es importante porque así se le asegura un salvoconducto hacia su destino final, impidiendo cualquier posibilidad de fragmentación o diSolución. El uso de palabras rimadas en un hechizo fortalece el paquete mágico dirigido al Cosmos y aumenta las probabilidades de éxito.

En síntesis, la rima es una herramienta de poder mágico y utilizarla para reforzar la carga del hechizo es fácil. Tomemos como ejemplo el canto de protección antes mencionado, el cual podríamos reordenar fácilmente de la siguiente manera:

**Protéjanme, Señor y Señora, como deseo**
**De todo el mal que veo y del que no veo.**

Al igual que la primera versión, es específico y va al grano. Sin embargo, la fluidez, fuerza y ritmo de la rima le dan un poder que la primera no tiene. Mejor aún, esta versión es fácilmente asimilada por la memoria, una ventaja adicional para los practicantes que prefieren trabajar sin un libro bajo las narices.

Cualquiera puede escribir pareados: no es necesario ser un poeta talentoso ni el canto tiene que ser una obra maestra. Primero escriba lo que va a pedir y luego tome unos minutos para hacerlo rimar. Hágalo simple y no se deje apabullar con la búsqueda de palabras.

El trabajo con pareados puede requerir un poco más de tiempo, pero los resultados hacen que valga la pena el esfuerzo. Después de todo, cuanto más ponga de su parte para el hechizo, más fuerte se volverá.

# Símbolos

En la hechicería combinamos el poder del intelecto, el instinto y la imaginación con cosas como palabras especiales, imágenes y las fuerzas de la Naturaleza. En ocasiones, incluso aprovechamos la energía de divinidades específicas y utilizamos su poder para añadir potencia a nuestra magia. Estas energías convergen y se mezclan entre sí para cambiar el proceso del pensamiento espiritual y doblegar la actitud mundana. No obstante, dirigidas por medio de un símbolo, encuentran el impulso que necesitan para crear la realidad física que deseamos.

Encontramos símbolos en cada aspecto de la vida. Se presentan en muchas formas: imágenes, objetos, gestos y palabras. El poder de los símbolos tiene su origen en su habilidad de comunicarse con el inconsciente y el subconsciente y de cambiar la forma en que la conciencia percibe el mundo.

Por ejemplo, si yo le pidiera definir la palabra *azahar*, es probable que describiera, por ejemplo, los azahares que lleva una novia. Pero si yo le preguntara sobre el *azar*, me daría una definición totalmente distinta. Así es como funcionan los símbolos: instantánea e independientemente de todo pensamiento y voluntad consciente. Debido a que trabajan en distintos niveles al mismo tiempo, son capaces de transmitir incluso las ideas más complejas en formas lo suficientemente simples para que la mente consciente las acepte y entienda.

Cuando canalizamos energía por conducto de los símbolos, la mente los manipula y transforma en una lista de posibilidades que es enviada directamente al Yo Supremo. El Yo Supremo la revisa y decide el grado de transformación necesaria para alcanzar la meta deseada. Elige la ruta de acción apropiada y acciona el hechizo. Finalmente, comunica esa información al consciente, y de pronto nos encontramos haciendo lo que tenemos que hacer en nivel terrenal para que el hechizo fructifique.

Los símbolos no sólo propulsan los hechizos, también proporcionan una magia automática y eficaz propia. Trabajar con ellos nos ahorra mucho tiempo; si usted nunca ha utilizado la simbología en sus hechizos, inténtelo. Es la manera más rápida que conozco para restructurar su Universo personal y reinventar su propia realidad.

## los amigos de la naturaleza

*Árboles y flores, hierbas y minerales*
*Comparten con nosotros sus hogares terrenales,*
*Viven y respiran. Ríen y juegan.*
*Algunos encuentran nuevos hogares y se van.*
*Pero otros se quedan un poco más*
*Para cuidarnos, y además,*
*Una sonrisa darnos. Luego a esparcir*
*La magia sobre la tierra y a hacerla fluir*
*Nos ayudan, dándonos sus valiosos regalos,*
*Deleitándose en tanto se eleva el Cosmos,*
*Su velo diáfano y los hechizos llegan*
*Y a la magia nuevamente conllevan.*
*Después sobre las alas de las aves, ligera,*
*Se escucha la voz de una hechicera,*
*Que suavemente con los vientos se entrelaza:*
*"¡Gracias a todos, mis amigos de la naturaleza!"*

Kalioppe

capítulo dos

---◆---

# Los dones de la Naturaleza

la eficacia de un hechizo se basa en gran medida en concentrarse en el propósito y el flujo de energía. Las vibraciones de plantas y piedras, al igual que las rimas y los símbolos, sirven de apoyo a estas áreas. En primer lugar, ayudan al practicante a concentrarse en la intención del hechizo. Esto es importante porque no hay mayor causa para que un hechizo fracase como una mente distraída. En segundo lugar, añaden energía armoniosa al hechizo, dándole el ímpetu necesario para que emprenda el vuelo y se eleve fácilmente. Pero lo más importante es que las energías de las piedras y las plantas refuerzan la intención mágica y definen el trabajo. Esto le dice al Cosmos lo que queremos y, hasta cierto grado, cómo esperamos que suceda. Puesto que las plantas y las piedras expresan valores simbólicos e inherentes, incorporarlos a la magia hace de cada hechizo un acto poderoso.

## Hierbas

Las hierbas son quizá las plantas utilizadas más a menudo en los trabajos mágicos, probablemente porque tienen una fortaleza inherente de la que muchas otras plantas no pueden jactarse. Las hierbas son plantas comunes y resistentes que requieren poca atención para crecer. Sobreviven fácilmente en el reino básico de los Elementos y todo lo que necesitan para un crecimiento exuberante es un pedazo de tierra, aire, unas cuantas gotas de lluvia y un poco de Sol. No importa si usted las riega o las fertiliza, les habla o las ama. Las hierbas continúan con sus ciclos de vida sin que nada les importe, reproduciéndose y estableciéndose donde más les place. A diferencia de otras plantas, las hierbas son una clase independiente. Aprovechar este tipo de energía sin límites y utilizarlo en la magia da mucha fuerza a cada hechizo.

## Para cargar hierbas de energía

Para añadir más poder, puede elegir cargar las hierbas que le convengan y dotarlas con las propiedades mágicas que desee. Si no está familiarizado con este proceso, utilice el método de carga descrito a continuación.

1. Ponga la hierba en un recipiente hondo o cazuela; use sólo la cantidad necesaria para el hechizo en cuestión. Ponga las manos sobre el recipiente y sienta la energía que emana de la planta. Toque ésta con su mano dominante, cierre los ojos y concéntrese en su necesidad mágica.

2. Ponga un poco de la hierba en su mano y frótela entre sus dedos. Sienta el intercambio de energía fluir entre éstos y la hierba, transmitiendo a la planta su necesidad mágica.

3. Mientras palpa la planta con los dedos, cante algo apropiado a su necesidad. Por ejemplo, si está cargando dientes de león para un hechizo de creatividad, puede cantar:

Dientes de león, tan salvajes y en libertad,
Concédanme mucha creatividad.

Continúe el canto hasta que el poder crezca y usted sienta cosquilleos al tocar la planta. Repita el proceso con otras hierbas según sea necesario.

Hay muchas maneras de utilizar las plantas en la magia. Algunas ideas son:

- Las hierbas son amuletos poderosos. Lleve consigo un ramillete de cierta hierba o la mezcla de varias para reiterar su intención al Universo.

- Esparza en la casa las hierbas en polvo o utilícelas en bolsitas. Son buenas para aplicarse en el cuerpo combinadas con talco sin aroma o maicena. (**Nota:** si tiene la piel sensible o es propenso a las alergias, haga una prueba en una pequeña parte de su piel antes de espolvorear todo su cuerpo con esta mezcla.)

- Si quema las hierbas, el ambiente se llenará rápidamente de intención mágica. Añada hierbas al incienso o ruede sus velas, previamente ungidas, sobre hierbas pulverizadas.

- El proceso de infusión quita a las plantas secas sus energías herbarias y las hace líquidas. Las infusiones herbarias ofrecen muchas oportunidades al practicante. Utilícelas como riego para purificar la casa, agréguelas al agua de baño o bébalas como tés. (**Nota:** antes de ingerir cualquier hierba, consulte a alguna fuente herbolaria confiable para asegurarse de que su consumo es seguro. Algunas son venenosas.) En forma de aceite, use las infusiones para ungir su cuerpo, velas y materiales de ritual.

- Para cambiar una situación, arroje las semillas de la hierba al viento mientras se concentra en las alteraciones requeridas. La transformación empieza conforme las semillas germinan.

- Cultivar hierbas dentro o alrededor del lugar que habita provee una forma de comunicación viva y continua con el Cosmos. Le recuerda al Universo que el hechizo ejecutado es continuo e infinito.

Muchas hierbas comúnmente usadas en la cocina proporcionan poder adicional a los trabajos de magia. A continuación se listan algunas hierbas potentes que la mayoría de la gente tiene a la mano.

### ◆ Artemisa

Muchos practicantes de magia llaman a la artemisa "la hierba de las brujas", porque tomar la infusión o fumar sus hojas secas conduce a un estado alterado que permite el incremento de la conciencia psíquica. La infusión también se utiliza en lavados mágicos para purificar espejos, bolas de cristal y péndulos.

### ◆ Canela

Esta hierba tan común en la cocina vibra en un nivel espiritual muy alto, haciéndola indispensable para cualquier practicante. Úsela en hechizos relacionados con prosperidad, amor, lujuria, éxito, energía física y adivinación.

### ◆ Clavo

Esta hierba trabaja bien en hechizos asociados con la lujuria, el amor, la suerte y el dinero. Utilícela también para aliviar una depresión, atenuar penas y ahuyentar la melancolía.

### ◆ Hojas de laurel

Esta hierba le servirá para hechizos que involucren atletismo, competencia y victoria; eliminación de energía negativa y protección contra enfermedades. También es útil para hechizos de deseos, adivinación y amor.

### ◆ Jengibre

El jengibre es eficaz en hechizos donde se necesite incrementar la habilidad psíquica, la buena salud, el poder o el éxito.

### ◆ Lavanda

Aunque es principalmente una hierba para la protección, la lavanda también es de gran ayuda en magias relacionadas con el parto, el amor, el sueño tranquilo, la curación y la longevidad.

### ◆ Manzanilla

La manzanilla tiene una multitud de usos mágicos. Pruébela para la suerte en las apuestas; para sueños proféticos o para dormir profundamente; para protección, amor y para romper maleficios.

### ◆ Nuez moscada

Utilice esta hierba común en hechizos relativos al amor, el dinero, la suerte y la salud.

### ◆ Salvia

Esta hierba se hizo famosa gracias a los nativos americanos que la usaban en varas embadurnadas. El humo de la salvia elimina la energía negativa y sus residuos en áreas, construcciones y gente. Sirve también para hechizos asociados con la buena salud, la fortuna, la sabiduría, la longevidad y los deseos.

## Flores

Si bien la energía de las flores es más ligera que las vibraciones herbarias, es igualmente poderosa. Las vibraciones florales surgen de la delicada textura de los pétalos y tienen poco que ver con la fuerza misma de la planta. De hecho, algunos practicantes aseguran que realmente la energía de las flores es más potente que la de otras hierbas.

Las flores son símbolos emocionales. Las utilizamos para destacar ocasiones especiales transitorias, como cumpleaños, bodas y funerales. Las enviamos como obsequios de bienaventuranza, amor y afecto.

Las flores generan una fuerte respuesta emotiva de los seres humanos y la emoción humana es la matriz de donde toda la magia fluye. Por eso al emplearlas en la magia se eleva su potencia y eficacia.

## Para cargar flores de energía

Para energizar flores e incorporar su energía a trabajos mágicos, utilice las técnicas mencionadas para las hierbas. Los siguientes métodos también funcionan bien para los botones de las flores.

- Enjuague con cuidado varios botones de flores y quíteles los tallos. Póngalos en un recipiente con agua y déjelos toda la noche bajo la Luna llena. Beba el agua para recibir las propiedades mágicas de la flor. (**Nota:** al igual que con las hierbas, consulte con una fuente confiable para asegurarse de que las flores que tiene en mente no sean venenosas.)

- Escriba un hechizo o encantamiento en un pedazo de papel. Colóquelo debajo de un florero que contenga el capullo de una flor que armonice con su deseo. Cuando el botón se abra, la obra mágica estará completa.

- Escriba en una vela su deseo y colóquela a un lado de un florero con un botón de flor. Mantenga la vela prendida y remplácela si es necesario hasta que el botón se abra. Su florecimiento pondrá a trabajar el hechizo.

Para su comodidad, a continuación presentamos una lista parcial de flores que suelen usarse en la magia.

### ◆ Azucena
Utilice esta flor para obras relacionadas con la fuerza, la protección y la purificación. También es eficaz para neutralizar brujerías y para mantener alejados a huéspedes indeseables.

### ◆ Guisante de olor
Use esta flor para hechizos que promuevan los fuertes lazos de amistad y las amistades alegres. Empléela también en obras donde alcanzar la verdad sea el aspecto central.

### ◆ Jazmín

Ninguna otra flor puede mejorar los poderes del jazmín para promover el amor propio y la confianza en sí mismo. También es de gran ayuda para invocar a las divinidades del género femenino.

### ◆ Lirio

Esta flor es sagrada para la diosa Iris, quien vigila el puente entre la vida y la muerte. Es por eso que sirve para hechizos que tienen que ver con la reencarnación y el contacto con los seres queridos muertos. Le servirá también en trabajos vinculados con adquisición de valor, aportación de sabiduría, mitigación del estrés y alivio de la depresión.

### ◆ Madreselva

La fragancia de esta flor promueve la alegría, calma depresiones y es útil en hechizos para mejorar las finanzas e incrementar la conciencia psíquica y la buena fortuna.

### ◆ Rosa

Esta flor es buena para hechizos que involucran el amor, la suerte, la protección y los inicios. Su embriagadora fragancia también es propicia para los sueños proféticos y para realzar las habilidades psíquicas.

# Árboles

Los árboles juegan un papel integral en la vida cotidiana. Desde un punto de vista terrenal, nos dan refugio de los Elementos, nos dan confort en forma de muebles y producen el oxígeno necesario para respirar normalmente. Los árboles también son fundamentales para la magia. Los practicantes usan sus hojas, flores, raíces y corteza para hacer inciensos y aceites, y su madera para elaborar una gran variedad de herramientas mágicas. Sin ellos, la vida terrenal y la mágica, como las conocemos, no existirían.

Algunas veces somos lo suficientemente afortunados para encontrar los dones del árbol ya diseminados sobre el suelo. Pero con mayor frecuencia cosechamos sus productos para uso mágico. El proceso de recolección es más complicado que sólo agarrar o tomar aquello que necesitamos. Los árboles son criaturas vivientes que comen, beben, respiran y descansan. Como los miembros de la humanidad, se comunican y tienen personalidades individuales. Por estas razones les debemos el mismo respeto y consideración que a nuestros hermanos humanos.

## Cosechando de los árboles

El primer paso para una cosecha exitosa es entablar una relación con el árbol. Háblele y cuéntele algo sobre usted. Escuche mientras el árbol le habla y aprenda algo de él. En síntesis, trate esta relación tal y como trataría cualquier nueva amistad: con respeto, interés y bondad.

El siguiente paso es pedirle permiso para cosechar. Esto no es tan tonto como parece. Considere cómo se sentiría usted si alguien tomara sus pertenencias sin preguntarle. El mismo principio es aplicable para el árbol, que merece el mismo respeto que uno espera para sí mismo. Dígale exactamente lo que quiere y por qué lo necesita; después, espere una respuesta. Si el árbol se resiste, no se alarme. Debe haber una buena razón para su decisión, como mala salud, infestación por una plaga o, sencillamente, falta de preparación. Haga relación con otro árbol pero no descuide la amistad con el presente. Siempre hay espacio para otro amigo y quién sabe qué pueda aprender de la relación original.

Una vez que el árbol da su permiso, es importante considerar la técnica y el tiempo de cosecha, de manera que no le cause más incomodidades de las necesarias. Un cuchillo filoso sirve muy bien para cortar hojas, flores o corteza. En cambio, si necesita cortar ramas o ramitas, utilice una sierra con los dientes recientemente afilados. (Las tijeras de jardín tienden a quebrar las ramas impidiéndoles un crecimiento futuro.)

Si no necesita ramas inmediatamente, programe la cosecha durante los meses de invierno. (Durante este periodo, los árboles se encuentran en un estado adormecido y alcanzan un "entumecimiento" similar al que los humanos experimentan bajo anestesia general.) Sin embargo, si el tiempo es lo esencial, intente el siguiente proceso. Es seguro, inofensivo y no lastimará a su árbol amigo.

1. Forme un círculo protector alrededor del árbol, abarcando en él todas las porciones visibles de su raíz. (Si no ha formado un círculo anteriormente, sostenga la vara mágica, *athame* o sierra en su mano dominante y mire hacia el este. Extienda por completo su brazo dominante y, en dirección de las manecillas del reloj, camine alrededor del árbol, al mismo tiempo que visualiza una luz azul emergiendo del suelo. Diga algo como:

    Protege esta vida, este árbol, mi amigo,
    Del dolor, la enfermedad y un fin nocivo.

    Para completar el círculo, continúe caminando hasta llegar nuevamente al este.)

2. Escoja una rama y amarre un cordón o cuerda a su alrededor, unos quince centímetros más cerca del tronco que de la parte que va a cortar.

3. Toque tres veces la rama con la punta de su varita mágica (o con el costado de su mano o el mango de la sierra) para provocar que su espíritu se vaya hacia el tronco o las ramas inferiores, y diga:

    Oh, Espíritu de este Árbol, mi Amigo,
    A partes más bajas desciende, te digo
    Hasta que haga lo que debo terminar,
    Y ni daño ni mal te pueda causar.

4. Corte la extremidad rápida y suavemente. Quite la cuerda.

5. Abrace al árbol y convoque nuevamente al espíritu diciendo:

> Oh, Espíritu de este Árbol, mi Amigo,
> ¡Te llamo a casa! ¡Ven ahora conmigo!
> Retoma la forma que siempre has tenido.
> ¡Vive y crece otra vez desinhibido!

6. Agradézcale al árbol su regalo y entréguele uno a cambio. (Aunque muchas personas gustan de dejar alimento en grano, tabaco o monedas nuevas, cuando trabajo con árboles yo prefiero fertilizarlos. Si desea intentar esta opción, pero no tiene tiempo para llevarla a cabo, introduzca cinco o seis varas de alimento para árboles en el suelo al pie de éste. Su amigo lo apreciará mucho más que unas monedas de metal nuevas.)

7. Disuelva el círculo tomando la vara mágica, *athame* o sierra con su mano dominante y encarando al este. Extienda por completo su brazo dominante y camine en la dirección contraria a las manecillas del reloj. Mientras lo hace, visualice la luz azul que se desvanece hacia el suelo. Diga algo como:

> Luz azul, desvanécete en el suelo,
> Sellando así este círculo sin recelo.
> Haz que este círculo desaparezca,
> Para que esta magia a nadie se le ofrezca.

El ritual antes descrito no es necesario cuando se cosechan hojas, corteza o flores, pero siempre recuerde dar un presente al árbol como signo de su aprecio. Su relación con el árbol, como toda amistad, se nutre mejor con amabilidad, amor, lealtad y respeto mutuo.

Cuando use árboles en la magia, pruebe los métodos sugeridos para el uso de hierbas. Todas las partes del árbol son buenas para la magia, pero algunas trabajan mejor que otras para tipos específicos de hechizos. Para que el suyo sea eficaz al máximo, ponga en práctica las siguientes sugerencias:

- Si el regalo viene de debajo de la tierra (raíces y corteza de la raíz), utilícelo para asuntos relativos a lo terrenal y lo práctico, así como para lograr echar raíces o establecerse.

- Si crece en el tronco (corteza y musgo), pruébelo en hechizos para la curación física, mental y emocional.

- Si crece hacia el cielo (hojas y flores), use el regalo para trabajos mágicos que involucren libertad, guía o intervención divina y los planetas.

Al igual que como en toda la vida en el planeta, las energías vibratorias de los árboles varían de una especie a otra. A continuación presentamos una lista parcial de los árboles comúnmente usados en magia.

### ◆ Abedul

El botón del abedul, algunas veces llamado "Señora de los bosques", anuncia el inicio de la temporada agrícola en muchas partes del mundo. La Madre Tierra se interesa personalmente en cualquier petición hecha bajo este árbol y rinde resultados rápidos y positivos cuando su nombre es mencionado en conexión a éste. El abedul también es sagrado para Thor. Tenga cuidado cuando coseche su corteza o su madera porque se dice que al hacerlo puede causar el enojo de esta deidad. Por esta razón, muchos practicantes de magia piensan que los productos del abedul deben recolectarse de un árbol que haya sido fulminado por un rayo o de ramas tiradas en el piso. Utilice los regalos de este árbol para trabajos conectados con nuevos inicios.

### ◆ Abeto

Debido a que las hojas del abeto son verdes durante todo el año, sus energías vibran hacia la inmortalidad y el infinito. Los regalos de este árbol le serán útiles para "refrescar" su vida, añadir vitalidad y vigor u obtener resultados positivos en lo relativo a la salud. Estos regalos también ayudan en rituales relacionados con el karma y la reencarnación.

### ◆ Avellano

Por siglos las ramas de este árbol se han utilizado como varas de adivinación para localizar agua y minerales importantes, dándole la reputación de sabiduría eterna. Aproveche el avellano en hechizos diseñados para la retención del conocimiento, para contrarrestar el engaño o para obtener una comprensión más completa de los Misterios.

### ◆ Espino

Este árbol, que antiguamente se quemaba para purgar la energía negativa de los templos romanos, es mejor conocido por sus propiedades purificadoras. Sus ramas son excelentes para construir casas, habitaciones de convalecencia y áreas donde se trabaja con magia. Sus hojas, espinas y corteza son buenas en hechizos orientados a romper viejos hábitos o deshacerse de energía negativa. Las flores de espino son sagradas para las hadas y proporcionan un amuleto muy potente cuando se busca la libertad de cualquier tipo.

### ◆ Manzano

Sagrado para Afrodita, el manzano es mágicamente famoso por sus propiedades de atracción, amor y seducción. Sus poderes son tan fuertes que por muchos años los ramos nupciales se hacían principalmente con sus flores. Cuando se rebana la fruta transversalmente se revela un pentagrama perfecto (véase la figura 1). Este símbolo lo liga a las Artes Ancestrales y nos recuerda su fertilidad.

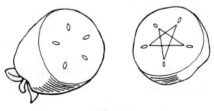

**Figura 1.**

Utilice los materiales del manzano en trabajos mágicos relativos al amor y al romance o para añadir "entusiasmo" a cualquier hechizo.

### ◆ Roble

Por mucho tiempo el símbolo del principio masculino, el roble se yergue sólidamente contra las inclemencias de los Elementos. El fruto blancuzco del muérdago que crece entre sus ramas representa el semen del Señor de los bosques. Algunos folcloristas afirman que si se atrapa una hoja que va cayendo se asegura la completa libertad de gripas y catarros durante todo el invierno. Utilice las bellotas en magias para protegerse usted y proteger a los suyos de todo daño y para atraer dinero. Llevar consigo un regalo de este árbol trae buena suerte en general.

### ◆ Sauce

Las palabras sauce (en inglés *willow*), hechicera o bruja (en inglés *witch*) y Vica (en inglés *Wicca*) tienen la misma raíz lingüística y, por ende, están ligadas al Arte incluso en el sentido más mundano de las palabras. El sauce es conocido como el árbol de la muerte y muchos practicantes fabrican sus primeras varas mágicas con sus ramas. Su uso para las herramientas de los principiantes en la vida vicana/pagana es apropiado, ya que la antigua vida debe terminar antes de iniciar la nueva. Sagrada para Hécate, la madera de este árbol funciona bien en magias diseñadas para separar, terminar una fase o una relación, o para proteger nuevos comienzos. Para rituales de curación, prepare las hojas y la corteza molidas y úselas como té, aceite o incienso.

### ◆ Serbal

Este árbol vibra hacia la vida y la protección. En la antigüedad la gente los plantaba frente a las puertas de sus casas para alejar el mal. Cuando se muelen para incienso o se cocinan para el lavado del cuerpo o para hacer aceites, las hojas y los frutos del serbal pueden hacer maravillas para aumentar los poderes psíquicos y la capacidad adivinatoria. Si se mantienen en el hogar, las varas protegen de daños causados por rayos o tormentas. Y si se llevan en el bolsillo, los dones del serbal aumentan la buena salud, las vibraciones y la energía física.

### ◆ Vid

Sagrada para Baco, de todas las maderas mágicas mencionadas aquí, la vid ofrece las vibraciones más placenteras pues por lo general su fruta se usa para hacer vino, cuyo consumo altera el estado de conciencia en niveles de alegría pocas veces conocidos en el plano común y corriente. Utilice la vid en cualquier tipo de celebración o festividad.

## Piedras

Las piedras son parte de la Tierra, nuestra base física. Traen firmeza a nuestro planeta y nos mantienen situados en forma segura sobre su superficie. También dan a nuestro mundo textura, belleza y nos protegen de los elementos. En síntesis, las piedras aportan estabilidad a nuestra existencia física.

Muchos practicantes gustan de incluir piedras en sus hechizos debido a las fuertes energías que emiten: no sólo tienen una fuerza interna innata que proviene de una existencia ancestral, sino que su poder sobre la psique humana es enorme. Por ejemplo, la mayoría de los practicantes creen que las piedras tienen la capacidad de elegir a sus propietarios y no al contrario. Incluso muchos no practicantes creen que portar una piedra que corresponda a la fecha de su nacimiento da buena suerte, que los diamantes significan un compromiso en el matrimonio y que un ópalo regalado sin intención amorosa puede causar desastres a su propietario.

Las piedras irradian su propia clase de magia. Al igual que las flores, su belleza suele ser fascinante y evocan fácilmente la emoción humana. Sin embargo, la razón principal por la que utilizamos piedras en la magia tiene poco que ver con lo anterior. Las usamos porque forman nuestro fundamento físico. Enlazan el mundo terrenal con el reino mágico al producir una fuerza estabilizadora en cada trabajo mágico que tocan.

## Para cargar piedras de energía

Al igual que con las hierbas, muchos practicantes cargan piedras con energía para propósitos específicos antes de utilizarlas en trabajos mágicos. A continuación se describe un método sencillo.

1. Tome con fuerza la piedra con su mano dominante y sosténgala firmemente contra su Tercer Ojo.

2. Concéntrese en su necesidad mágica y visualícela culminando en el resultado deseado.

3. Cante algo apropiado para su deseo. Por ejemplo, si está cargando un ópalo para trabajos sobre su vida pasada, puede cantar algo como:

> Ópalo, piedra de tonos variados,
> Trae mi vida pasada sin reparos.

Continúe cantando hasta que sienta que la piedra comienza a latir con energía. Un "latido" rítmico y constante significará que la carga mágica se ha completado.

Si se siente atraído por las piedras y desea incorporarlas a su magia, intente alguna de las siguientes ideas.

- Sumerja una piedra en agua durante toda la noche y beba el agua para atraer sus propiedades mágicas a su vida. (**Nota:** consulte un libro con buenas referencias sobre piedras antes de hacerlo. Algunas contienen toxinas.)

- Si usted elabora sus propias velas, añada las piedras apropiadas mientras la cera está blanda.

- Pulverice las piedras y añádalas al incienso. (Póngalas en una bolsa de plástico y luego dentro de varias bolsas de papel. Pulverícelas con un martillo.)

- Fortalezca las piedras y llévelas consigo para aprovechar todos los beneficios de sus vibraciones.

Recolectar un buen surtido de piedras para uso mágico no tiene que ser costoso. Pequeños pedazos pulidos funcionan tan bien como sus hermanos más costosos, con diferentes facetas. Tampoco necesita una gran cantidad, ya que muchas piedras contienen las mismas propiedades. Algunas, como el cristal de cuarzo claro y el ópalo, pueden incluso programarse para trabajar con cualquier hechizo imaginable.

En la siguiente lista incluyo algunas piedras que considero útiles para hechizos. Para su conveniencia, he anotado los colores de cada una.

### ◆ Amatista

Color: púrpura profundo a lavanda pálido. Esta piedra es excelente para mitigar el enojo, el estrés y la depresión. Alivia igualmente el insomnio, aleja las pesadillas y atrae sueños proféticos. Entre sus múltiples propósitos mágicos están el amor, la seguridad en sí mismo, la libertad de adicciones, la curación y la guía espiritual.

### ◆ Calcita

Color: amarillo-naranja. Esta piedra es un amplificador que magnifica cualquier vibración mágica que llega a tener contacto con ella.

### ◆ Citrina

Color: de ocre a café oxidado. Utilice la citrina para propósitos de creatividad, tareas artísticas, promoción de la inspiración e ideas, así como para aliviar las pesadillas y escapar de la sensación de agobio.

### ◆ Cuarzo rosa

Color: rosa. Este cuarzo se usa más que nada en trabajos de amor y romance y es excelente para promover el amor propio. También se dice que cura el acné si se frota contra la cara.

### ◆ Cuarzo transparente

El cuarzo transparente es la piedra mágica más común. Programado debidamente, puede usarse para cualquier clase de propósito mágico o combinarse con otras piedras para amplificar sus propiedades.

### ◆ Fluorita

Color: azul, transparente, púrpura o verde. Comúnmente conocida como la "piedra de los estudiantes", las vibraciones de la fluorita incrementan la motivación para estudiar, la habilidad mental y la retención del conocimiento.

### ◆ Hematita

Color: negro plateado. Esta piedra nace del mineral de hierro y es un "aterrizador" excelente para aquellos cuyos excesos de energía no tienen salida. Úsela para aumentar el magnetismo personal, para promover la "invisibilidad" y para fortalecer obras mágicas relacionadas con lucha, sanación y protección.

### ◆ Obsidiana

Color: negro translúcido. Comúnmente se lleva para la buena suerte, pero también funciona para hechizos de protección y adivinación.

### ◆ Ópalo

Color: blanco iridiscente con "luces" multicolores. A pesar de que mucha gente lo considera de mala suerte, el ópalo, de hecho, mejora la buena fortuna cuando se da con amor. Llamada "la piedra del karma", es útil para recordar reencarnaciones y las lecciones por ellas impuestas. Debido a que el ópalo contiene todos los colores del espectro, puede programarse y utilizarse en hechizos de todo tipo.

### ◆ Sodalita

Color: azul oscuro con vetas blancas. Esta piedra vibra dentro del plano espiritual. Es una eficaz herramienta para curar el estrés, la ansiedad y el miedo, lo mismo que para la meditación y el contacto con Espíritus Guías.

### ◆ Unakita

Color: combinación de durazno y verde. Utilice esta piedra para encontrar la belleza en la vida y la circunstancia, especialmente cuando las cosas parecen más negras. También es excelente para descubrir engaños.

La intuición personal juega un papel primordial en el uso de piedras, plantas y otros regalos de la Naturaleza en la magia. Considere las pautas de esta sección sólo como sugerencias. Si le atrae utilizar alguno de estos objetos en particular para un propósito no mencionado o contradictorio a los anteriores, siga su intuición. ¡Después de todo, la guía intuitiva y la desviación creativa son las que hacen que cualquier magia sea suya!

## la danza mágica

El zumbido de una licuadora, un manojo de hierbas al Sol secadas,
Notas escritas a mano para ser detalladamente observadas,
Un fuerte aroma que llena cada habitación
Danzando con el chasquido de las cucharas con sazón.
Es una cafetera automática, una cazuela de popurrí,
Y una cosecha de palabras, flores, piedras y demás, así.

Juntos traen a la vida magia y anhelo,
Arremolinándose y girando en su vuelo,
Danza alrededor de las entradas de las conexiones,
Se desliza por corredores, alfombras y todos los rincones,
Energizando a las Artes Ancestrales, y así
liberándolas y atrayendo su poder hacia ti y hacia mí.

Kalioppe

# capítulo tres

# Herramientas modernas para las Artes Ancestrales

El mortero y la maja definitivamente fueron instrumentos útiles para nuestros antepasados. Pero la mayoría de nosotros no tenemos tiempo para machacar hierbas; tampoco lo tenemos para esperar varias semanas a que las hierbas mágicas se sequen o a que los aceites rituales se fijen. Y aunque lo tuviéramos, ¿quién querría hacerlo?

Hoy utilizamos muchos de los aparatos modernos de la cocina para facilitarnos la vida. Los días de esclavizarse frente a la estufa encendida ya pasaron. Son parte de la historia también las incesantes preguntas como: "¿Cuándo estará lista la cena?" y los reclamos de: "¡Me muero de hambre!" Ahora sólo sacamos algo del congelador, lo metemos al microondas y en cuestión de minutos, ¡listo!, la cena está servida. Con la ayuda de un procesador de alimentos podemos preparar en segundos elaboradas ensaladas. La licuadora es una maravilla multifacética de la cocina y no sé de ninguna persona viva que trabaje y se las arregle sin una olla exprés.

Dada la gran disponibilidad de estas maravillas, ni en sueños volveríamos a cocinar en una estufa de leños, y menos sobre una fogata. Tan sólo sugerirlo sería absurdo. Más aún, utilizamos estos aparatos para atender mejor las necesidades de nuestro bien más preciado: nuestra familia.

¿Por qué entonces no usarlos para incrementar nuestra eficacia mágica? Quizá porque nos embelesamos tanto en la parte "ancestral" de las artes mágicas que ni nos pasa por la mente. Continuamente buscamos objetos oscuros para utilizarlos como herramientas mágicas porque pensamos que eso es lo que tenemos que hacer. El hecho es que los implementos mágicos no tienen que ser anacrónicos para ser útiles. Ni siquiera tienen que parecerse a las herramientas rituales del pasado. El único requisito para las herramientas mágicas es que sean eficientes en los trabajos que designemos.

Los artículos de comodidad actuales tienen la capacidad de aumentar la eficacia de la magia casera y reducen a la mitad el tiempo de preparación. El uso de estos ahorradores de tiempo no disminuirá los poderes mágicos. Dedicar menos tiempo a hacer un hechizo no quiere decir que esté poniendo menos de sí mismo. Ahorrar tiempo no significa tomar atajos; por el contrario, significa aumentar la productividad y obtener más tiempo para los hechizos. Si aún le preocupa usar la tecnología moderna en las artes mágicas, aquí le proporciono algunos argumentos para su reflexión. El mortero y la maja alguna vez también fueron una comodidad moderna.

Cuando la tierra era más joven, el proceso de machacado de hierbas y granos era una labor ardua y lenta. La única manera de completar la tarea era tallar la sustancia entre dos rocas y esperar que sucediera lo mejor. Mucho tiempo después, alguien inventó el mortero y la maja, los que representaron una gran mejora respecto al método anterior, pues eran portátiles, facilitaban el molido y permitían una mayor productividad. En aquel tiempo es muy probable que la gente considerara al mortero y a la maja como una comodidad moderna. ¿Cree usted que nuestros antepasados se hayan burlado de aquellos novedosos dispositivos? ¿Acaso se rehusaron a usarlos porque los métodos antiguos eran mejores? ¿Creyeron que entorpecerían su magia? Pues no. Obviamente los adquirieron y los utilizaron. De no haberlo hecho, nosotros no pensaríamos ahora en ellos como en unos de los más valiosos utensilios para efectuar ritos.

Si usted decide recurrir a artefactos modernos para propósitos mágicos, por favor recuerde que entonces se volverán herramientas mágicas. En otras palabras, utilizar el mismo artefacto para mezclar el contenido de almohadillas para el amor y para preparar margaritas heladas no es una buena idea (a menos que confíe más en la magia que en los ingredientes de la bebida para asestar el golpe intencionado). Emplee los artefactos sólo para propósitos mágicos y conságrelos como tales. Si no le sobran aparatos y no quiere usar los que están en su cocina, busque en una tienda de segunda mano o en una económica. Ahí encontrará artefactos en buenas condiciones a precios muy razonables.

## Cafetera eléctrica automática

La cafetera eléctrica es una parte esencial de mi existencia, por las mismas razones que lo es para otras personas. Al igual que una buena parte de la población, no soy una persona diurna. El hecho es que no estoy de buen humor hasta después de haber tomado varias tazas de café. Si tengo que esperar por un café me vuelvo una gruñona insoportable. Afortunadamente mi cafetera automática requiere sólo tres minutos. Su velocidad me da tiempo de serenarme antes de que mis seres queridos —todos ellos gente mañanera, incluyendo los perros— se levanten alegremente de la cama.

Aunque este aparato siempre me ha dado un servicio indispensable, nunca pensé en utilizarlo para otra cosa que no fuera hacer café, hasta que tuve que consagrar mi vara mágica. Mi compañero de cuarto en aquel entonces esperaba visitas a cenar y se rehusó a prestarme la estufa, sin importarle que yo necesitara una infusión de hierbas para la consagración. Rogué. Imploré. No le importó y continuó cocinando. Después me miró fijamente y balbuceó algo así como "...bajo pena de muerte..."

En ese momento pensé que era un cretino. Pero su obstinación, pese a ser tan molesta, me trajo una de las bendiciones más grandes: me empujó a la creatividad. Tomé un filtro para café, lo puse en el filtrador y le añadí las hierbas. Agregué el agua y conecté la cafetera. Después canté el conjuro lo suficientemente alto como para despertar a los vecinos. El resultado fue un brebaje tan bien balanceado que simple y sencillamente vibraba con esencia mágica.

La cafetera eléctrica no sólo ahorra tiempo, sino que también prepara perfectas infusiones, extractos y aguas para limpias. He aquí algunos consejos para utilizarla en hechizos:

- No use la misma cafetera eléctrica para preparar tés ingeribles y líquidos venenosos. Si planea utilizarla para elaborar aguas para limpia que incluyan ingredientes no aconsejables para consumo humano, adquiera una para ese propósito exclusivamente.

- Entre la elaboración de un brebaje mágico y otro, limpie la jarra y el filtro con agua caliente enjabonada y cloro.

- Cuando prepare extractos, ponga la raíz o la corteza en un filtro para café y ciérrelo bien con una cuerda o una banda de hule. Después del ciclo de cocción, meta el saco en la jarra y déjelo aproximadamente 30 minutos sobre la parrilla caliente.

El incidente con mi amigo cambió mi vida mágica para siempre. En efecto, descubrí que usar la cafetera eléctrica para hacer magia ahorra tiempo y esfuerzo. Pero lo más importante es que me di cuenta del significado de la magia en su forma más pura y de su relación con la tecnología. Magia es igual a creatividad. Creatividad es igual a vida. Esto significa que la vida —cómo la vivimos y qué hacemos con ella— es la forma más elemental de la magia. Todos los recursos tecnológicos creados por la humanidad tienen su propia magia e incorporarlos a la magia personal produce un incremento del poder de cada hechizo realizado. Negar este recurso mágico equivale a negar la ayuda mágica y es un impedimento para todas las obras de encantamiento. Todo se resume en una cosa: si funciona, aprovéchelo al máximo y agradezca la ayuda.

## Licuadora

Hace muchos años inicié un pequeño negocio de venta de inciensos hechos a base de hierbas. La idea era elaborar un producto totalmente natural y barato que encendiera sin la ayuda de pedazos de carbón. Al principio todo se dio de maravilla. Mezclé algunas hierbas, encendí un fósforo y ¡listo!, incienso instantáneo. Entonces me pregunté por qué alguien alguna vez utilizó carbón para empezar. Pero no pasó mucho tiempo antes de que diera con la respuesta. Recibí un pedido para producir una mezcla especial y el producto sencillamente no encendía. Fue ahí donde descubrí que algunas mezclas requieren de carbón o un ingrediente base para consumirse de manera uniforme.

Investigué la posibilidad de comprar un paquete de base de incienso. La deseché: era de bambú importado y muy cara para mis necesidades. Para empeorar las cosas, ninguno de mis abastecedores me dio una buena sugerencia. Desesperada, finalmente llamé al aserradero local, pues se me ocurrió que el aserrín podría ser la Solución a mi problema. Y lo que es mejor, podía conseguirlo gratis.

Muy entusiasmada, traje a mi casa varias bolsas de basura grandes, llenas de esa base y me puse a trabajar. Sin embargo, mi sonrisa no duró mucho tiempo. El producto de mi receta no se consumió mejor que antes. La mezcla era muy burda y el aserrín tomó mucho tiempo para encender. Traté de refinarla con un mortero y una maja, pero el esfuerzo fue inútil. La pasé por un filtro para harina y tampoco resultó. Se me agotó la inspiración y me senté a pensar.

Finalmente se me ocurrió que si una licuadora podía reducir cubos de hielo a aguanieve, seguramente podía pulverizar el aserrín. Encontré el aparato, vertí en él unas cucharadas de viruta y lo accioné. ¿El resultado? Un polvo más fino que la base de incienso más cara. Mis problemas de combustión estaban Solucionados.

Hoy por hoy la licuadora es uno de mis más valiosos utensilios de magia. La uso para moler, pulverizar y mezclar, lo que anteriormente hacía con mi viejo mortero y la maja. La licuadora no sólo supera estas herramientas, sino que reduce a la mitad el tiempo de preparación. A mi entender, cualquier cosa que ahorre tal cantidad de tiempo en un mundo tan ajetreado como el de hoy tiene una magia del todo suya.

Los siguientes son algunos consejos para utilizar la licuadora como herramienta mágica:

- Al trabajar con ingredientes secos, sólo añada dos o tres cucharadas soperas a la vez. Esto impide que el motor se sobrecaliente.

- Siempre limpie la licuadora entre una y otra mezcla mágica. Añada una cucharada sopera de alcohol y una taza de agua y deje la licuadora funcionando unos segundos. Vacíe el contenido y seque la jarra con una toalla de papel o un trapo. Al limpiarla de esta manera se eliminan todos los aceites, extractos u olores de las hierbas, o las vibraciones de plantas. Es una buena forma de impedir que las energías remanentes de una mezcla se combinen con las de la siguiente.

- Cuando pulverice resinas como las del árbol de dragón o la resina arábiga, añada unas gotas de alcohol antes de encender la licuadora. Esto evita que el polvo se adhiera a las aspas. No se preocupe por el alcohol: éste se evapora y no deja energías vibracionales que puedan interferir con su hechizo.

- Mientras la licuadora muele o pulveriza, enfoque su atención en la mezcla en proceso y concéntrese en su propósito.

Utilizar la licuadora como una herramienta mágica puede abrir las puertas de todo un nuevo mundo de encantamiento. La elaboración de incienso es sólo una idea. Úsela para hacer polvos mágicos, rellenar bolsitas de cuero, popurrí y cualquier otra cosa que imagine. Las posibilidades son tan ilimitadas como su propia imaginación.

# Cazuelas para cocimiento lento y ollas eléctricas para popurrí (pebete)

Una vez resueltos los problemas de preparación del incienso, mi negocio floreció y dio frutos. Hacer inciensos sobre pedido se convirtió en mi especialidad, de manera que no me sorprendí cuando una de mis clientes vino a plantearme un problema. Estaba decepcionada de la calidad de los aceites que le ofrecía su distribuidor. Se sentían pegajosos y viscosos y, ya aplicados, su aroma se perdía. Me preguntó si yo podría producir una remesa de aceites que igualara las propiedades del incienso. Le dije que me ocuparía del asunto y comencé a investigar el proceso.

Lo que encontré era desalentador. Algunos de los procesos de producción de aceites requerían varias semanas. Otros, varios meses. Algunos sugerían el uso del calor Solar, en tanto que otros insistían en el uso de un área fría y oscura. Ya que acabé de estudiar detenidamente la pila de libros al respecto, me sentí muy confundida: no sólo no encontré un factor convergente, tampoco tenían un hilo común.

Experimenté durante una semana y descubrí que el calor libera los aceites naturales de las plantas más rápido que la oscuridad fría. Pero los aromas eran débiles y parecía que me tomaría más de un mes o dos producir una fragancia lo suficientemente fuerte. No tenía ese tiempo. Necesitaba aceites —de buena calidad— y los necesitaba pronto.

Después de varios intentos frustrados sobre la estufa (y de trabajar con una serie de ideas que no vale la pena mencionar), utilicé la cazuela para cocimiento lento. Los resultados fueron fenomenales. El aceite era fuerte y mantenía su fragancia, no se sentía viscoso ni pegajoso. Y lo mejor de todo es que el proceso duró menos de 24 horas.

Hacer sus propios aceites en una cazuela para cocimiento lento es más fácil de lo que imagina. Junte una parte de la mezcla herbal con una parte igual de aceite vegetal y revuelva bien. Compruebe el aroma del aceite cada seis u ocho horas. Si la fragancia no tiene la fuerza suficiente, filtre el aceite y añada una cantidad adicional de hierbas. Repita el proceso hasta que el aceite resulte de su agrado. (Una cocción por un periodo de 12 horas suele producir un producto excelente.) Deje enfriar, filtre, embotelle y etiquete.

Dado que el proceso se lleva varias horas, es posible que usted quiera añadir un canto de intención para cargar de energía su aceite mientras se cocina. Tomemos como ejemplo un canto para un aceite de amor personal:

**Aceite de amor, seas encantado,
Y tráeme un amor perfeccionado.**

El canto no tiene que ser prolongado o enfocado para rendir buenos resultados. Para mayor eficacia, cante cuando vierta por primera vez la mezcla a la cazuela y después cada que revuelva o añada nuevas hierbas.

Pruebe las siguientes recomendaciones cuando prepare aceites mágicos.

- Consagre su cazuela para cocimiento lento o su olla para popurrí como una herramienta mágica y utilícela sólo con esos propósitos.

- Use la medida de regulación más baja que tenga el aparato. Así evitará que las hierbas se quemen.

- Utilice un aceite vegetal o frutal ligero e inodoro en lugar de un producto con base de glicerina. Yo uso aceite de semilla de uva o de jojoba para elaborar grandes cantidades de aceite, pues no se hacen rancios como los aceites vegetales más pesados. Para los que planee emplear rápidamente, el aceite de cocina sirve bien.

- Cuando trabaje con hierbas frescas, primero macháquelas para que suelten sus aceites. La manera más sencilla de machacar hierbas es ponerlas en una bolsa de plástico y golpearlas varias veces con el costado de su palma. Después, ponga el contenido en el recipiente.

- Mantenga la tapa sobre la cazuela, excepto cuando esté comprobando el aroma. Elimine la humedad del interior de la tapa antes de colocarla nuevamente sobre el recipiente.

## Recetas

Las recetas que aparecen a continuación son útiles para polvos mágicos, almohadillas, sales de baño, popurrís, inciensos y aceites. No están diseñadas para el consumo humano. Permita que su sentido del olfato juzgue y decida sobre las proporciones de los ingredientes. Esto involucra su personalidad y hará que la mezcla sea suya.

Para hacer polvos, muela finamente las hierbas y mézclelas con talco inodoro o con maicena.

Muela burdamente los ingredientes para rellenar las almohadillas, así como para popurrís secos o hervidos. Quizá quiera añadir algunos aceites de esencias de las hierbas del recetario para mantener fuertes las fragancias en las almohadillas o en las mezclas de los popurrís secos.

Para hacer sales de baño, llene una bolsa de plástico o un frasco con sal de grano. Añada aceites y/o hierbas y agite bien. Arroje un puño del producto dentro de la tina con agua.

Queme mezclas de incienso puras, sobre pedazos de carbón, o bien, mezcladas con aserrín para que se consuman Solas. Si desea añadir algo de "chispa" a sus inciensos, agregue un poco de nitrato de potasio a la mezcla. Lo puede conseguir en cualquier farmacia y hace que cada quema de incienso sea un suceso mágico.

### ◆ Adivinación

Esta fórmula es excelente para efectos de adivinación y para hechizos que requieran neutralizar el engaño para llegar al fondo de la verdad.

ajenjo

pachuli

### ◆ Afrodisia

Ésta es una gran mezcla que debe quemarse en el cuarto si lo que busca es una noche de pasión y sexo salvaje. Como tiene vibraciones más fuertes que la fórmula de la Lujuria (página 72), aparentemente libera las inhibiciones y crea un entorno perfecto para la magia sexual.

hojas de pino
pachuli
sándalo

### ◆ Agua

Una combinación idónea para combatir la indiferencia y la apatía. Úsela también cada vez que tenga dificultades para sacar sus emociones a flote.

frijol tonka
loto

### ◆ Aire

Pruebe esta mezcla cuando su naturaleza práctica comience a nublar su imaginación o sobrepase sus respuestas emocionales. También resulta adecuada para hechizos relativos a nuevos inicios, toma de riesgos y nuevos proyectos. Mezcle esta receta con la del Amor (abajo) para atraer una nueva relación a su vida.

lavanda
pétalos de violeta
romero

### ◆ Amor

Utilice esta mezcla sola o añádala a la receta de Júbilo (página 71) para crear lazos de amistad fuertes, a la de Lujuria (página 72) para el amor carnal, o bien a la de Romance (página 75) para fortalecer el compromiso emocional.

canela
pétalos de rosa
pimienta de Jamaica
vainilla

### ◆ Atracción

Emplee esta combinación sola para atraer hacia usted la buena fortuna en general. Añádala a cualquier otra fórmula para incrementar su poder y atraer el resultado específico que desea.

canela

mirra

olívano

pétalos de rosa

sándalo

### ◆ Atracción de dinero

Algunas personas denominan a esta fórmula "camino de la fortuna". Utilice cualquier forma de la mezcla en conjunto con hechizos para la prosperidad y unte su papel moneda con este aceite.

canela

cáscaras de naranja

hojas de laurel

olívano

### ◆ Beltane

Una fórmula excelente para celebrar el regreso del Sol, equilibrar los aspectos masculinos y femeninos de uno mismo y para invocar la faceta de Virgen de la Diosa Triple.

almendras

olívano

pétalos de rosa

### ◆ Candelaria (Candlemas)

Aunque ésta es una receta formidable para celebraciones *Imbolc*, también resulta adecuada para bendecir velas y crisoles. Se usa para celebrar inauguraciones de casas, pues envuelve su hogar con una alegre sensación de bienvenida.

albahaca
angélica
hojas de laurel
mirra

### ◆ Creatividad

Esta mezcla funciona bien cuando se utiliza con hechizos que involucran las artes, la inspiración y cualquier otro tipo de expresión artística.

café seco molido
clavo
hisopo
jengibre
verbena

### ◆ Deseos

Una fórmula poderosa para usarse en deseos mágicos de cualquier tipo.

canela
hojas de laurel
jengibre

### ◆ Equinoccio de otoño

Esta receta es una fórmula maravillosa para celebrar la temporada de otoño y los rituales del Día de Gracias (festividad estadounidense).

hibisco
mirra
pétalos de rosa
salvia

### ◆ Equinoccio de primavera

Si bien ésta es una fórmula fabulosa para dar la bienvenida a la primavera, también puede usarse para añadir vibraciones abundantes de calidez y júbilo a su hogar.

    pétalos de jazmín
    pétalos de rosa
    pétalos de violeta
    raíz de orris

### ◆ Éxito

Una combinación para cualquier tipo de hechizos dirigidos a alcanzar el éxito. Añádala a otras fórmulas para incrementar sus propiedades.

    canela
    mirra
    olívano
    pachuli
    pimienta de Jamaica

### ◆ Fuego

La fórmula del Fuego funciona bien para hechizos relativos a un incremento de actividad. Úsela también en problemas de aplazamiento o para reunir energía física.

    canela
    jengibre

### ◆ Júbilo

Una fórmula excelente para mitigar la depresión. Utilícela en hechizos donde el entusiasmo, la felicidad o la amistad sean el punto focal.

    clavo
    nuez moscada
    pimienta de Jamaica

### ◆ Júpiter

Esta receta servirá para cualquier hechizo donde el punto focal sea el éxito en general. Añádala a otras fórmulas para el éxito en todos los trabajos mágicos.

anís
bayas de enebro
hisopo
menta

### ◆ Kyphi

Una combinación maravillosa para alejar entidades negativas y destructivas. También invita a los buenos espíritus al hogar.

canela
hojas de pino o ciprés
loto
mirra
olívano

### ◆ Lamas

Utilice esta fórmula para celebraciones de cosecha y para hechizos donde el punto focal sea el ciclo de nacimiento, muerte y renacimiento.

olívano
pétalos de girasol o heliotropo

### ◆ Lujuria

Use esta fórmula para hechizos relacionados con la excitación y el deseo sexual. Pruébela también para revivir relaciones íntimas.

canela
clavo
hojas de laurel
jengibre
vainilla

### ◆ Luna

Una excelente mezcla para reunir energías emocionales. Utilícela para rituales relacionados con la mujer, sus ciclos o el aspecto femenino de uno mismo. Mezclada con la fórmula de Amor (página 68), da gran emoción a sus relaciones.

ajenjo

alcanfor

### ◆ Luna llena

Utilice esta mezcla para invocar a la fase de Madre de la Diosa Triple y para cualquier tipo de hechizo que involucre abundancia y fertilidad.

anís

lavanda

romero

### ◆ Luna nueva

Use esta receta cuando sienta la necesidad de reagruparse y reenergizarse mentalmente. Es de gran ayuda para la fatiga mental. También sirve para invocar la fase de Bruja de la Diosa Triple.

ajenjo

alcanfor

anís

lavanda

### ◆ Marte

Ésta es una receta formidable para ritos que involucran fuerza, valentía, la entereza de sus convicciones o para ganar cualquier tipo de batalla. Cargar consigo un pequeño saco de esta mezcla da a las personas tímidas el poder para responder por sí mismas.

jengibre

nuez moscada

pimienta negra

resina de drago

### ◆ Mercurio

Use esta fórmula para hechizos que se relacionen con la comunicación, la palabra hablada o escrita y la retención del aprendizaje. Añádala a otras fórmulas cuando se deseen resultados rápidos.

canela
nardo          •
resina de lentisco
vainilla

### ◆ Neptuno

Una receta maravillosa para invocar a los espíritus y divinidades del mar y para devolver el ritmo y el equilibrio a su vida.

amapola roja
ámbar gris

### ◆ Plutón

Esta mezcla se utiliza para superar dificultades relativas a causas de importancia personal.

canela
salvia

### ◆ Purificación o limpia

Esta fórmula es apropiada para evitar posibles ataques psíquicos. Utilícela también para eliminar energías negativas de su persona, sus pertenencias o su hogar.

canela
cáscaras de limón
hojas de laurel
mirra
sal

### ◆ Romance

Una fórmula idónea para atraer la risa liviana y la diversión del romance. Mézclela con la fórmula de la Lujuria (página 72) para profundizar el involucramiento íntimo.

canela

pachuli

pétalos de jazmín

vainilla

### ◆ Samhain

Esta receta le servirá para despertar las energías del mundo espiritual. También funciona cuando se busca el contacto con la Guía Espiritual.

hojas de laurel

nuez moscada

salvia

### ◆ Saturno

Pruebe esta mezcla en hechizos que involucren recuerdos de la vida pasada, aspectos de reencarnación y la comprensión de las lecciones que da la vida.

mirra

pachuli

sándalo

### ◆ Sol

Esta fórmula sirve en rituales para nuevos inicios, curación y bienestar, felicidad general y crecimiento. Úsela también para invocar a Dios o para despertar el aspecto masculino de uno(a) mismo(a).

cáscara de limón

mirra

olívano

### ◆ Solsticio de verano

Utilice esta combinación para invocar a las hadas, a los espíritus, a los duendes y a los gnomos. También sirve como fórmula para todo propósito en hechizos de cualquier tipo.

artemisa

lavanda

manzanilla

pétalos de rosa

### ◆ Tierra

Use esta combinación para magias de naturaleza práctica o para poner los pies en la tierra. Mézclela con Atracción de dinero (página 69) para ritos relacionados con la seguridad financiera. Unja los collares de sus perros y gatos con este aceite, para darles protección.

albahaca

bayas de enebro

canela

manzanilla

nuez moscada

pachuli

romero

### ◆ "Tomo las riendas de mi vida nuevamente"

Ésta es una combinación maravillosa en rituales para la toma de control de una situación, para recuperar las riendas de su vida, o para abrir a los demás a sus ideas o forma de pensar.

canela

chile en polvo

jengibre

### ◆ Tranquilidad y protección

Use esta receta para promover una sensación de paz y seguridad. Quémela en casa por sus propiedades de protección y escudo.

albahaca

lavanda

olívano

ruda

tomillo

toronjil

### ◆ Venus

Emplee esta mezcla para obtener la ayuda de las divinidades del amor y el romance.

ámbar

lavanda

pétalos de rosa

pétalos de violeta

### ◆ Yule

Use esta fórmula en la celebración del nacimiento del Sol o en cualquier obra donde el aspecto central sea la luz que vence a la oscuridad.

corteza u hojas de pino

jengibre

manzanilla

salvia

## el hechicero, o la hechicera

*Ramilletes de hierbas atados con listones que cuelgan de ganchos,*
*Botellas y frascos, una variedad de libros anchos,*
*Velas y pergaminos, plumas y minerales,*
*Inciensos que llevan mensajes por el Cosmos, transitan celestiales*
*Hacia la casa de los Antiguos, invisibles a todas las miradas*
*Excepto a las de aquellos que veneran las Artes antepasadas.*

*Paquetes de hechizos y encantamientos son desencadenados*
*Y por dedos curvos y ancianos son alcanzados,*
*Ojos cansados leen las intenciones, consideran y revuelven*
*El viejo Caldero Cósmico y la magia ocurre. Entonces vuelven*
*De regreso a la Tierra donde el poder se encumbra y luego fluye*
*Mientras el Hechicero exclama, "Como lo deseo, ¡así se construye!"*

Kalioppe

capítulo cuatro

———◆———

# Vivir una vida encantada

## Éxito mágico

Con el paso de los años he visto que muchos trabajos mágicos no cumplen las expectativas deseadas, a pesar de tener todas las condiciones propicias para el éxito. ¿Por qué? Porque los practicantes involucrados olvidaron lo básico. Para el éxito mágico se requiere más que sólo seguir una serie de instrucciones o revisar las condiciones cósmicas, y mucho más que sólo utilizar los propulsores mágicos descritos en el capítulo uno. Lo que los practicantes no tomaron en cuenta fue que todo el apoyo del mundo no es suficiente para crear magia si no se tiene concentración, enfoque y un deseo puro y desenfrenado. Estos factores, combinados, dan excelentes resultados.

Una noche fui lo suficientemente afortunada como para presenciar magia sencilla pero perfecta en una tienda departamental local. Pasé por la sección de juguetes justo a tiempo para escuchar a una chiquilla de tres años negociar con su madre sobre la adquisición de un nuevo juguete. La mamá no quería saber nada al respecto, pero eso no desalentó a la niña que continuó insistiendo, resuelta a llegar a su cometido y lograr el éxito. Entonces, cuando parecía que perdería la discusión, miró fijamente a su madre a los ojos y exclamó: "¡Pero mamá, es que realmente lo deseo!" Me reí entre dientes sabiendo que el juguete encontraría el modo de llegar a la bolsa de compras de la mamá. Después de todo, se había completado un hechizo.

Si más practicantes de las artes mágicas tomaran algunos consejos de esa chiquilla, los índices de éxito se dispararían. Sin saberlo, ella logró combinar todos los ingredientes necesarios para un hechizo exitoso y puso su magia a trabajar. Sabía exactamente lo que quería y enfocó su energía por completo en la meta. Más aún, su deseo de lograr el resultado final fue el más fuerte que jamás haya visto.

Al iniciar cualquier trabajo mágico, recuerde las últimas palabras del hechizo de aquella pequeña. No es suficiente querer cambiar el mundo o el sendero del Cosmos. No es suficiente saber exactamente lo que quiere. No, ni siquiera es suficiente enfocar algo de energía hacia la meta. Para que sus hechizos funcionen y funcionen bien, debe desear algo de tal forma que usted se vuelva uno con el hechizo. Una vez que esté sintonizado con su deseo y libere esa energía hacia el Cosmos, no hay duda de que logrará obtener los resultados que quiere, aquellos resultados fenomenales que sólo creyó posibles en su imaginación.

## Magia: un asunto serio

El mundo actual está repleto de expertos practicantes de hechicería y las opiniones sobre las Artes Ancestrales varían de una persona a otra. Pero, no obstante las diferencias, todos se apegan a un punto en común: la magia es un asunto serio. No es algo que deba tomarse a la ligera o con lo que uno pueda jugar.

Existen varias razones para esta actitud, pero la mayoría tienen que ver con los factores que gobiernan la magia y sus procesos internos. Tomar el tiempo para considerar lo siguiente podría marcar una gran diferencia en el modo en que vive su vida mágica.

## Ley kármica

Toda magia está regida por la ley del karma. Esto no quiere decir que la hechicería no pueda disfrutarse o ser divertida, sino que realizar un hechizo sobre otra persona es equivalente a realizarlo sobre uno mismo. La ley kármica no funciona dentro de un sistema de balance equitativo: más bien, devuelve tres veces lo que uno envía. Debido a que la mayoría de nosotros no podemos soportar una dosis triple de agravio, le aconsejo que tome en cuenta todas las opciones posibles antes de hacer hechizos dirigidos a molestar o a controlar a alguien. Con la suficiente planeación tal vez encontrará una manera de lograr sus objetivos sin necesidad de caer en una táctica de magia manipulativa.

## Teoría de las ondulaciones

El sistema de causas y efectos de la magia no es como cualquier otro. Funciona sobre las bases de la teoría de las ondulaciones. Una buena manera de ilustrarlo es lanzando una piedra a un estanque. Después de que la piedra da en el blanco, el agua se estabiliza. Durante la estabilización, debajo de la superficie surge un movimiento relacionado aunque independiente. Aparecen ondulaciones que se extienden hacia afuera abarcando áreas de agua que no habían sido afectadas por el zambullido original de la piedra. Lo mismo sucede con la magia.

Esto quiere decir que cada hechizo conjurado por un practicante tiene la capacidad de afectar cientos de vidas, incluso las de gente que no está relacionada con el objetivo del hechizo. Si éste es benéfico para todos, no hay problema. Pero, ¿si no lo es? ¿Y cómo es posible que sepamos lo que es provechoso para aquellos que ni siquiera conocemos?

Si tenemos esto en mente, incluso un hechizo para lograr la paz mundial podría tener sus inconvenientes. Por ejemplo, cerrar las fundidoras metalúrgicas, las plantas de hule y las fábricas de ropa (ocupadas en el pasado de proveer las necesidades de la milicia) llevaría a la pérdida de millones de empleos. Las calles se verían repletas de gente desempleada, sin hogar, hambrienta y olvidada. No es un cuadro agradable y la Gran Depresión de 1930 palidece ante tal idea.

¿Significa esto que toda la magia es maligna y que no deberíamos practicarla? No, significa que necesitamos estar abSolutamente seguros de lo que queremos antes de iniciar cualquier acto de magia y ser muy específicos en nuestras peticiones al Cosmos al poner en marcha un hechizo. Aun así, ¿cómo garantizar que nuestra magia no hará daño a nadie?

Una idea es enlazar cada hechizo con una protección contra el daño. Esto no sólo protege a otros contra una falla del hechizo, sino que también mantiene su fluido de energía dirigido hacia su meta. Si no está familiarizado con los enlaces, pruebe el presentado a continuación. Es directo y al grano, y representa el mejor seguro contra daños a terceros que haya encontrado.

> **Por el poder kármico del número tres,**
> **Que este hechizo sea atado y anudado al revés;**
> **Para que así sus contenidos se mantengan unidos,**
> **Y no dañen a humano, bestia o clima ya constituidos.**

## Poder personal

Como practicantes de magia pocas veces nos damos cuenta del alcance de nuestro poder personal. En algunas instancias la magia puede fructificar sin el uso de apoyos como velas, hierbas, piedras o encantamientos. Es raro, pero sucede y una emoción fuerte (como la ira) es por lo regular la fuerza motriz que hace que la magia ocurra. A eso le llamo "magia inconsciente", porque en estos casos el practicante no tiene ni la menor idea de que ha activado un hechizo.

Por ejemplo, cada vez que una de mis amigas se enoja lo suficiente como para llorar, se desencadenan lluvias densas y tormentas eléctricas. Afortunadamente para los que vivimos aquí, sus hechizos por llanto no son muy frecuentes ni duran demasiado, y las tormentas que provocan no han causado perjuicios, daños o evacuaciones de los habitantes del área.

Pero si usted cree que un poco de lluvia no es tan malo, considere esto. Otra amiga mía llevó a su perro con un entrenador. El perro era adorable e inteligente, pero testarudo. El entrenador no estaba acostumbrado a tratar con ese tipo de animales, así que ambos sintieron una antipatía mutua. El entrenador insistía en que el perro era imposible de entrenar y éste llegaba temprano a casa, sin entrenamiento y asustado.

Días después mi amiga llevó a su perro con otro entrenador, sólo para descubrir que su mascota, antes un excelente cazador, estaba totalmente aterrado de la presa ficticia. No se necesitaba ser un genio para darse cuenta de que, en su frustración, el primer entrenador lo había golpeado con uno de esos monigotes.

Decir que mi amiga estaba enojada sería un supremo eufemismo. Estaba lívida. Encendida. Realmente fuera de control. Deseosa de que aquel hombre no volviera a abusar jamás de alguna criatura viviente, exploró todas las posibilidades. A sabiendas de que la magia no era posible, buscó una respuesta en el ámbito de lo mundano. Pero nada de lo que se le ocurría —por lo menos nada legal— le parecía apropiadamente severo. Finalmente, dándose cuenta de que no se encontraba en un estado de ánimo como para emprender alguna acción razonable al respecto, se fue a la cama y resolvió tomar una decisión por la mañana.

El siguiente día amaneció brillante y soleado, y mi amiga estaba mucho más tranquila. Decidió mandar investigar el programa y las instalaciones de aquel entrenador y conseguir los números telefónicos de las autoridades correspondientes. Justo cuando se dirigía al aparato para hacer la primera llamada, éste sonó. El entrenador había sido atropellado por un camión. Aunque el accidente no fue fatal, sus heridas fueron lo suficientemente graves como para mantenerlo alejado del entrenamiento de perros por un buen tiempo.

¿Coincidencia? Es improbable. Las leyes de la física nos dicen que tal cosa no existe. La "coincidencia" es un término que utilizamos para justificar los sucesos de la vida que no podemos entender y con los que no queremos lidiar. Lo más probable es que la mente consciente de mi amiga estaba tan inundada de desesperación y emoción que estos sentimientos se filtraron a su inconsciente. Su inconsciente sencillamente adoptó "la causa" y remedió la situación.

Para prevenir que este tipo de cosas sucedan tenemos que aprender a controlar nuestras emociones en vez de que éstas nos controlen a nosotros, lo cual no siempre es fácil. Si usted tiene dificultades para controlar sus respuestas emocionales, dedíquese a algo, cualquier cosa, y aléjese temporalmente de la situación. Cuando esté más tranquilo, vuelva al dilema y póngase a reSolverlo. Después de todo, la Solución eficaz de un asunto va de la mano con una mente despejada. Sólo recuerde que usted es el Hechicero, o la Hechicera, y que, como tal, nada está más allá de su control, ni siquiera el caos emocional.

# Magia
# MODERNA
# PARA GENTE
# OCUPADA

◆

# UN LIBRO DE
# SECRETOS
# MÁGICOS
# (GRIMOIRE)

**parte dos**

# Libro de Secretos Mágicos

———◆———

el Libro de Secretos Mágicos (o Grimoire, o Libro de las Sombras) personal es el fundamento de la existencia de todo practicante de magia, ya que contiene una colección de hechizos, ritos y cantos comprobados y diseñados para hacer la vida más fácil. Sin embargo, su cualidad indispensable no termina ahí: contiene también otro tipo de información importante, como remedios caseros, primeros auxilios a base de hierbas y sugerencias de cultivo.

La información de esta parte del libro refleja una colección parcial de los datos contenidos en mi libro personal y es con gran placer que la comparto con usted. Puestos a prueba para comprobar sus resultados y viabilidad, cada uno de ellos vislumbra una magia eficaz y confiable y, utilizado con confianza, atrae resultados positivos.

Aun así, no dude en alterarlos para adaptarlos a sus necesidades, a su personalidad o al tipo de materiales con que cuente. Sea creativo y diviértase. Cambie las letras de los cantos, haga sustituciones (en los apéndices al final del libro se incluyen listas de ingredientes alternativos), o utilícelos únicamente como guías para preparar sus propios hechizos. Sobre todo, siga sus instintos y confíe en su intuición. El instinto y la intuición alimentan su magia personal y le dan el terreno fértil necesario para brotar y florecer.

## Abuso

El abuso es una cuestión seria. Al tratar con ese tipo de situaciones, no olvide que a menudo la mejor solución es de aspecto terrenal. Levante el teléfono y llame a la policía.

### ◆ Para combatir el abuso (mental o físico)

| | |
|---|---|
| una vela color púrpura | albahaca |
| aceite vegetal | 7.5 cm de listón o cinta roja |
| ruda | 7.5 cm de listón o cinta blanca |
| clavo | 7.5 cm de listón o cinta negra |
| canela | una bolsita de tela |
| hojas de laurel | |

Escriba en la vela el nombre y la fecha de nacimiento del solicitante y después úntela con aceite vegetal. Imprégnela con una mezcla de ruda, clavo, canela, hoja de laurel y albahaca en polvo mientras canta:

Hierbas, todas mézclense bien sin defecto,
con su poder hagan este hechizo perfecto.

Ponga la vela en un candelero y acomódela en el altar. Junte los listones y átelos con un nudo en un extremo. Tréncelos mientras canta:

Virgen, Madre, Hechicera, todas las Tres,
Liberen a (*nombre del solicitante*) del abuso esta vez.

Haga un nudo en los extremos de la trenza para que no se deshaga y luego ate ambas puntas formando un aro. Póngala alrededor de la vela para formar un círculo. Espolvoree el resto de las hierbas alrededor de la trenza y visualice al círculo crecer cada vez más fuerte hasta que erija un muro de protección impenetrable. Prenda la vela y diga:

De heridas y moretones (*nombre del solicitante*) se ha liberado,
Como yo lo deseo, así que quede sellado.

Después de que la vela se haya consumido completamente, recoja la trenza, las hierbas y las gotas de cera, si es que hay, y métalos en el saquito de tela. Déselos al solicitante para que los conserve consigo como una medida protectora.

### ◆ Amuleto contra el abuso

Talle con lavanda la punta de una flecha y llévela consigo para protegerse de situaciones donde haya abuso.

## Aceptación

(Para hechizos relacionados, véase "Cambio".)

### ◆ Ritual matutino para aprender aceptación y tolerancia

Este ritual sirve para conceder la aceptación de cuestiones que no puede cambiar y para aumentar su tolerancia hacia las opiniones y creencias de los demás. También es eficaz contra las actitudes racistas.

Al levantarse cada mañana, encienda una vela blanca. Siéntese en una posición cómoda frente a la vela y enfoque la vista en la llama. Diga:

Señora agraciada, escucha mi plegaria, como debe ser
Y concédeme tolerancia para que pueda ver
La necesidad de la diversidad en la Tierra,
Su valor y el mérito que encierra.
Por favor, ayúdame a encontrar armonía
Para aceptar lo que debe ser con valentía
Y remplaza mi actitud negativa
Con amor perfecto y fortaleza intuitiva.
¡Señora agraciada, escucha mi ruego,
Como yo lo deseo, así que suceda luego!

Observe la llama de la vela por espacio de diez minutos mientras se concentra en su deseo de volverse más tolerante; después, apáguela.

Efectúe este ritual cada mañana durante siete días consecutivos.

## ◆ Amuleto de aceptación/tolerancia/antirracismo

| | |
|---|---|
| 15 cm cuadrados de tela color durazno | una cucharadita de romero |
| una lepidolita o amatista | un listón o cinta color lavanda |
| una hematita | un listón o cinta amarilla |
| un cristal de cuarzo | un listón o cinta verde |
| un pedazo pequeño de cáscara de manzana | |

Ponga las piedras en el centro de la tela y diga:

Piedras hechas de lluvia, viento, tierra y fuego,
Desarrollen todo el poder de sus dimensiones, les ruego.
Traigan a mí un cambio exitoso.
Como lo deseo, que sea glorioso.

Añada la cáscara de manzana y el romero a la tela. Diga:

Dones fértiles de la fruta terrenal,
Les pido transmuten sin igual
Mi actitud en una más tolerante.
Como lo deseo, ¡que suceda al instante!

Junte las puntas de la tela y cierre la bolsa con los listones.

Si el amuleto es para aprender aceptación y tolerancia, póngalo sobre su frente y diga:

Aceptar y tolerar es la llave a alcanzar
Para ser completo y poder liberar
La persona que estaba yo destinada a ser.
Que estas cualidades me sean otorgadas al amanecer.
Como lo deseo, ¡así ha de ser!

Si el amuleto está destinado a cambiar su actitud racista, sosténgalo junto a su corazón y diga:

A vivir y dejar vivir debo aprender.
Ayúdenme a respetar a otros, a atender
Mientras giro poco a poco en la rueda de la vida.
Remplacen con amor lo que una vez fue conflicto.
Enséñenme a vivir en armonía y menos estricto
Con todos mis hermanos. ¡Así que quede inscrito!

Porte la bolsa con usted o en su persona, y entiérrela cuando su actitud mejore.

### ◆ Amuleto para aceptar el cambio

Para ver la belleza en el cambio y para aceptar de mejor manera el progreso, porte o cargue consigo una unakita.

## Acoso sexual

### ◆ Hechizo de ónix negro

| | |
|---|---|
| un marcador negro | un tazón con agua |
| un ónix negro | 8 cubos de hielo |
| nitrato de potasio | |

Con el marcador, escriba sobre la piedra el nombre o las iniciales del ofensor. Esparza el nitrato de potasio sobre la superficie y diga:

**Tus impulsos quedan ahora controlados.**
**Tus poderes sobre mí están alejados.**
**Disminuirá y menguará tu energía**
**Hasta que dejes de abusar y dañar con osadía.**

Coloque la piedra dentro del tazón con agua y añada el hielo. Mientras lo hace, cante:

**Agua helada, enjuaga, es menester,**
**De (*nombre del ofensor*) su poder en este día,**
**No le des descanso hasta que vea su osadía,**
**Comprenda sus errores y me deje ser.**

Meta el tazón al refrigerador. Manténgalo ahí hasta que el ofensor detenga sus abusos o hasta que el problema se haya resuelto de otra manera. Cuando esto suceda, eche el agua por el inodoro. Lleve el tazón afuera y cave un hoyo. Ponga la piedra en el hoyo "vertiéndola" desde el plato. (Es importante que no la toque.) Cúbrala con tierra y retírese.

◆ **Protección contra el acoso sexual**
Póngase aceite de bergamota como perfume para evitar ser objeto de acoso sexual.

## Adicción

La mayoría de nosotros no tenemos la fuerza de voluntad suficiente para sobreponernos a las adicciones; si la tuviéramos, la adicción no representaría el dilema que representa hoy en día. Sea cual sea la naturaleza de su problema, por favor busque ayuda profesional. Después utilice el siguiente ritual para deshacerse de cualquier impulso de continuar con patrones de conducta insanos.

## ◆ Ritual para sobreponerse a las adicciones

| | |
|---|---|
| papel y lápiz | una crisoprisa |
| marcador negro de punta ancha | un cuarzo o calcita anaranjada |
| una vela verde | un recipiente a prueba de fuego o un caldero pequeño |
| cerillos o encendedor una hematita | una bolsa de tela (opcional) |

Escriba en un pedazo de papel el tipo de adicción que padece, luego márquelo a lo largo con una línea negra gruesa. Póngalo a un lado.

Escriba en la vela su nombre. Enciéndala y diga:

Pido a ustedes, Ancestros Curanderos,
Que se lleven este dolor lejos de mis senderos.
Retiren todo rastro de esta insoportable adicción
Y cúrenme de todas mis aflicciones, por compasión.

Ponga la hematita sobre su frente y diga:

Concédanme ahora valor y todo el poder curativo,
Fortalezcan mi voluntad para lograr mi objetivo.

Ponga la piedra del lado derecho de la vela. Levante la crisoprasa hacia su frente y diga:

Piedra de alegría y felicidad, te voy a encargar
Que a mis impulsos pongas a descansar.

Póngala del lado izquierdo de la vela.

Coloque la calcita o cuarzo sobre su frente y diga:

Amplificador de energía, con vigor,
Magnifica sus poderes, por favor.

Sitúe la piedra frente a la vela. Párese frente al altar y voltee las palmas de sus manos hacia arriba. Diga:

Poderes de la Tierra, únanse con atracción,
Aten fuertemente los poderes de esta adicción
Para que no tenga el control sobre mí alcanzado.
Como lo deseo, así que quede sellado.

Tome el papel en sus manos y diga:

Que se rompan las cadenas que me atan,
Soy poder, fuerza y elasticidad moral que las matan,
Tengo valor y entereza para levantarme
Y vencer esta adicción. ¡Vete! y no vuelvas a molestarme.
¡Vete lejos de mí!, ¡no regreses!, ¡no te quiero!
El poder que ejerces sobre mí, ¡lo incinero!

Encienda el papel con los cerillos o encendedor y quémelo dentro del recipiente a prueba de fuego diciendo:

Por la llama del fuego, estoy purificado
Y de tus mentiras ilusorias desencantado.
Estoy libre de ti y de cualquier problema
Con el que a mi vida hayas hecho merma.
Ahora estoy libre. Estoy bien curado.
Como lo deseo, ¡así que quede sellado!

Cuando la vela se haya consumido por completo, lleve las piedras consigo, sueltas o en una bolsita de tela. Repita el ritual las veces que sea necesario para controlar el problema.

◆ **Amuleto para mitigar antojos**

Llevar en su bolsillo un pedazo de estaurolita mitiga antojos menores.

---

## Adivinación

◆ **Para motivar las habilidades psíquicas**

Si tiende a tener dificultades para la adivinación, antes de comenzar, beba un café con sabor a avellana o un té psíquico (véase la receta de "Habilidades psíquicas").

◆ **Para facilitar la adivinación**

Para facilitar la adivinación, guarde una amatista donde ponga sus herramientas de adivinación y mantenga otra cerca de usted cuando lea.

◆ **Canto para leer el Tarot**

Este canto es muy eficaz cuando se utiliza antes de dar vuelta a la primera carta.

> Sabio Ashtaroth, por favor envía
> Tu guía y préstame tu sabiduría.
> Permíteme leer con toda claridad
> Así que sea sellado para hablar con la verdad.

◆ **Canto para leer runas**

> Guardián de las runas, poderoso Odín,
> Guía mi mente y sé mi maestro hasta el fin.
> Dame tu sabiduría para que pueda ver
> El mensaje que debe ser.

## ◆ Canto para la videncia

Hechicera de los Cielos, de la Sabiduría y la Oscuridad,
Permite que las figuras se materialicen con facilidad.
Muéstrame claramente lo que vendrá,
Como lo deseo, ¡así se sellará!

## Alegría

## ◆ Hechizo con guirnaldas de margaritas

Para volver a traer la alegría a su vida, junte unas margaritas y corte los tallos a unos nueve centímetros de largo. Con la uña haga un pequeño corte a la mitad del tallo de una flor e inserte ahí la siguiente flor. Repita el proceso hasta que tenga una cadena de margaritas. Mientras lo hace, cante:

Margarita, flor alegre, flor de aliento,
Préstame tu dicha en este momento.
Tráeme tu gozo a este lar
Mientras te eslabono de par en par.

Cuando la cadena esté lo suficientemente larga como para pasarla por encima de su cabeza, una bien el primer tallo con el último. Ponga la guirnalda alrededor de su cuello y diga:

Cadena de margaritas, de flores libres otrora,
Tráeme goce pleno, sin demora.
Con alegría y júbilo me has de bendecir,
En tanto que en esta Tierra deba yo vivir.
Y mientras te secas con el aire y el calor
Llévate mis temores y preocupaciones, por favor.

Déjesela puesta el resto del día y después cuélguela para que se seque.

### ◆ Amuleto de crisoprisa

Dé poder a una pieza de crisoprisa con el siguiente canto y llévela consigo cerca del corazón.

> Crisoprisa, oh piedra alegre,
> Permite que la dicha en mí transite.
> Trae una sonrisa a mi corazón y mi cara,
> Permite que la alegría impregne mi morada.

───────────────────────────── **Amistad**

### ◆ Para abrirse a nuevas relaciones

> una vela rosa      aceite de girasol
> un cuarzo rosa

Escriba su nombre en la vela y unja ésta y el cuarzo con el aceite. Enciéndala, tome la piedra en la mano, visualice encuentros con sus amistades y la formación de nuevas relaciones.

Cante tres veces:

> Mente abierta con nueva vida adquirida,
> De ti se alejó todo estrés y herida.
> Corazón abierto, recién nacido,
> Acepta todo el amor que se te ha ofrecido.
> Pensamiento positivo, palabra y acción,
> Entren ahora, libre estoy de la perdición.
> Ancianos poderosos, escuchen mis oraciones,
> Ábranme a nuevas relaciones.

Sitúe la piedra cerca de la vela y déjela ahí hasta que se consuma por completo. Lleve la piedra consigo.

## ◆ Para atraer a otros con mentalidades afines

| | |
|---|---|
| una vela anaranjada | hilo y aguja |
| aceite de vainilla | 6 semillas de girasol (remojadas en agua toda la noche para ablandar la cáscara) |

Unja la vela con el aceite y enciéndala. Mientras se consume, cante:

> De aquí y de allá vengan
> Los que mis ideales tengan.
> ¡Venga uno, vengan todos aquí
> Por Sol, Viento, Tierra y Agua, a mí!

Enhebre la aguja, ensarte la primera semilla de flor de girasol y diga:

> Con la primera, el hechizo prospera.

Ensarte la segunda semilla diciendo:

> Con la segunda, mi deseo fecunda.

Con la tercera:

> Con la número tres, viene a mis pies.

Con la cuarta:

> Con la cuarta, toca a mi puerta.

Con la quinta:

Con la quinta, crece y florece.

Y con la sexta semilla:

Con la sexta, el hechizo se sella.

Anude las puntas del hilo para formar un aro. Frote un poco de aceite de vainilla en el aro de semillas y déjelo próximo a la vela hasta que se consuma totalmente. Lleve consigo el aro como amuleto para la atracción.

### ◆ Para conseguir nuevas amistades

Durante tres domingos consecutivos, al amanecer cante con la cara hacia el este:

Apolo, Ra y Dioses del Sol,
Diosas solares y Ancianos,
Escuchen, atiendan mis necesidades,
¡Bendíganme y llénenme de amistades!

### ◆ Para mantener la amistad

| | |
|---|---|
| 3 largos de hilo blanco para bordar | 3 largos de hilo para bordar del color favorito de su amigo(a) |
| 3 largos de hilo para bordar de su color favorito | |

Para saber el largo de hilo apropiado, enrédelo en su muñeca dos veces y añada 20 centímetros.

Anude los nueve hilos dejando una cola de 10 centímetros. Utilizando los del mismo color como un solo gajo, trénzelos (véase la figura 2).

Mientras trenza, cante:

(*Su nombre*), (*el nombre de su amigo/a*)
y Diosa Virginal,
Ahora los trenzo en alegría y placer
descomunal.

Trence y cante hasta que la pieza alcance los 18 centímetros de largo. Anude
su extremo final y deje 10 centímetros
de cola. Ate la trenza a la muñeca de su
amigo(a).

**Figura 2.**

## Amor

### ◆ Hechizo para atraer al amante perfecto

| | |
|---|---|
| 6 pétalos de rosa | un cuarzo rosa |
| 1 cucharadita de lavanda | 18 cm cuadrados de tela rosa |
| 1 cucharadita de canela | un listón, hilo o estambre verde |
| 1 pedazo de listón rojo (de unos 3 centímetros) | hilo y aguja |
| una moneda de 5 centavos | |

En viernes, durante la Luna creciente, coloque los seis ingredientes en el
centro de la tela. Junte las puntas con los dedos y sostenga el saquito
junto a su corazón. Cante:

Venus, Reina del Amor, divina, obedece,
Trae a mí aquel amor que me pertenece.

Tan perfecto (*perfecta*) él (*ella*), como yo,
Juntos estamos destinados a estar y compartir lo bello.
Venus, Reina del Amor, tan llena de calor,
A mí sin daño alguno trae mi amor.
No permitas que ahora nada nos separe, es mi oración,
Concédeme amor perfecto para llenar mi corazón.

Aún con el saquito contra su corazón, llénelo con energía de amor. Amárrelo con el listón para sellar el hechizo. Llévelo consigo y cuando duerma colóquelo bajo su almohada.

Cuando su amante venga a usted, entierre el saquito bajo un árbol.

## ◆ Baño para invitar al amor

En viernes, coloque una taza llena de hojas machacadas de milenaria fresca dentro de un frasco de un litro con tapa de rosca. Llene el recipiente con agua, ciérrelo bien y métalo al refrigerador hasta el siguiente viernes. Ese día, antes del mediodía, cuele el líquido de las hojas. Vierta el agua de la milenaria a una tina con agua caliente. Métase a la tina seis minutos y sumérjase por completo seis veces. Antes de cada inmersión, diga:

Amante perfecto, ven a mí,
¡Como lo deseo, que sea sellado así!

Salga de la tina y deje que su cuerpo se seque solo.

## ◆ Hechizo para el amor de vino de hierbas

| | |
|---|---|
| una vela rosa | 1/4 cucharadita de pimienta de Jamaica |
| aceite de amor | 2 pizcas de nuez moscada |
| 1 cucharadita de albahaca | una taza de vino tinto |
| 1 cucharadita de semillas de eneldo | un sartén |

**Nota:** para una versión sin alcohol, en vez de vino use jugo de manzana con unas gotas de colorante rojo para comida.

En un viernes de Luna menguante, trace sobre la vela un par de corazones entrelazados y únjala con el aceite de amor. Colóquela cerca de la estufa y enciéndala diciendo:

> **Llama de la vela, arde fuerte y brillante.**
> **De las chispas del amor, enciende una llama radiante.**
> **Trae a mí el amor de mi pareja espiritual,**
> **¡Como lo deseo, que sea real!**

Ponga las hierbas en el sartén y añada el vino. Deje que la mezcla hierva y póngala a fuego lento por seis minutos. Mientras tanto, cante:

> **Energías mixtas de hierbas, especias y vino,**
> **Traigan el amor verdadero a mí en tanto las combino.**

Retire la mezcla de la estufa y déjela enfriar. Endúlcela con miel y sírvala en un vaso. Antes de beber la pócima, sóplele seis veces y cante:

> **Pócima de Amor, fluye libre**
> **Y tráeme pronto un dulce romance.**

## ◆ Hechizo de cristal para una relación

> un cristal para relacionarse
> aceite de rosas

El cristal para relacionarse o los cristales gemelos (dos cristales de cuarzo que hayan crecido juntos) son herramientas excelentes cuando se busca el amor perfecto. Sosteniendo el cristal en su mano dominante, prográmelo para llevar a cabo el trabajo y cántele lo siguiente:

Piedras separadas unidas como una,
Encuentren a mi pareja en Sol y Luna.
Júntenos con amor, no con razones
Y permitan que nuestros corazones
Sean uno para siempre, con todo amor.

Meta el dedo en el aceite y marque dos corazones entrelazados sobre el cristal. Llévelo consigo hasta que llegue su pareja perfecta, y entonces guárdelo en su recámara.

## ◆ Hechizo para revivir el amor

| | |
|---|---|
| una hoja de pergamino | una botella de vino vacía con corcho |
| 1 bolígrafo rojo | un pedazo de pergamino de 7.5 X 12.5 cm |
| 2 listones rojos de 30 cm de largo cada uno | |

Copie el siguiente poema sobre el papel, con tinta roja, pero no ponga su nombre. Abajo del poema incluya un sitio de encuentro y la hora. (Es preferible que sea un área pública, como un agradable restaurante, bar o lugar para bailar. Desafortunadamente, en este mundo también hay gente indeseable y un lugar aislado podría intimidar al objeto de sus deseos.)

Mi corazón ha buscado con cada latido
Un amor con calor fogoso y encendido,
Un amor tan calmante como el mar, que fuera
Un amor que no estaba seguro que existiera
Hasta el día en que yo te vi,
¡Y el temor absurdo se apartó de mí!
¡Encuéntrame por favor! (la hora y el lugar),
En esta página he dejado plasmado
Y garantizaré a tu placer un grano de oro,
Mi amor, mi más querido y valuado tesoro.

Enrolle el pliego de papel y átelo con el listón. Colóquelo dentro de la botella y tápela con el corcho. Escriba el siguiente mensaje sobre el pequeño trozo de pergamino:

**Destápame y voltéame boca abajo,**
**Golpea mi fondo firme y fuertemente, sin trabajo.**
**El rollo saldrá fuera de mí,**
**Para que su mensaje puedas leer así.**

Doble el papel a la mitad y haga un pequeño agujero en la esquina superior del filo del doblez. Ensarte el listón por el hoyo y átelo alrededor del cuello de la botella. Envíela por mensajería.

### ◆ Para recibir una propuesta matrimonial

| | |
|---|---|
| un cirio rojo | raíz de iris en polvo |
| aceite vegetal | anís en polvo |
| flores de azahar (pueden sustituirse por milenaria en polvo) | |

En un viernes, escriba en la vela su nombre y el de su amado(a). Dibuje un corazón alrededor de los nombres y unja la vela con el aceite. Combine las hierbas y ruede el cirio sobre la mezcla cuidando que quede completamente cubierto.

Encienda la vela y visualice que su amor le propone matrimonio. Mientras la vela se consume, cante:

**Fuego de amor y de sexo y de pasión,**
**De** (*nombre del amante*) **enciende el corazón,**
**Empújale hacia la acción,**
**Para que matrimonio me proponga**
**Que quede sellado como me convenga.**

Deje el cirio encendido una hora y luego apáguelo. Continúe prendiéndolo una hora diaria durante los siguientes cinco viernes. El último viernes, deje que la vela se consuma por completo.

## Ansiedad

(Para hechizos relacionados, véanse "Depresión" y "Estrés".)

### ◆ Té contra la ansiedad

Añada dos cucharaditas de raíz de valeriana a una taza de agua hirviendo. Mientras se asienta, cante:

> **Muerta estás, ansiedad nerviosa.**
> **Raíces y agua, calmen mi mente, fervorosas.**
> **Bríndenme toda su paz tranquilizante.**
> **¡Como lo deseo, así que sea al instante!**

Pese a su eficacia, este té tiene un sabor muy fuerte que mucha gente encuentra desagradable. Para aligerar el sabor puede endulzarlo abundantemente con miel.

### ◆ Hechizo de vela de vainilla

Sostenga en ambas manos una vela con esencia de vainilla hasta que la cera se sienta caliente al tacto y cante tres veces:

> **Vainilla, llévate este desorden y así**
> **Mantenlo por hoy alejado de mí.**

Prenda la vela y déjela consumirse hasta que la ansiedad desaparezca.

## Apatía

(Para hechizos relacionados, véase "Empatía".)

### ◆ Hechizo contra la apatía

una vela roja    jengibre en polvo

aceite vegetal

Unja la vela en el aceite vegetal e imprégnela de polvo de jengibre. Préndala y medite sobre el movimiento de su llama. Obsérvela bailar, destellar y complacerse en su actividad. Visualícese a sí mismo como una llama. Vea cómo empieza a brillar, cómo se mueve y cómo sube y se arremolina en el aire. No hay nada de indiferente o apático en usted. Usted es fuego. Usted es energía en su forma más pura. Con esa imagen fija firmemente en la mente, cante:

Llama danzante, pura potencia,
Libérame de la amarga indiferencia.
Trae energía a mi alma, por compasión,
Y a mis cometidos da convicción.
Procúrame interés, fervor, devoción,
Confianza y verdadera emoción.
Y mientras ando la vereda de la vida cada día
Permíteme ayudar a otros en su camino con alegría.

Deje que la vela se consuma por completo.

### ◆ Té para curar la apatía

Utilice dos cucharadas soperas de hojas de menta secas por cada taza de agua hirviendo. En tanto el té se asienta, cante:

Dame mucho entusiasmo, hierba de especia,
Restaura mi interés en la vida y dame conciencia.
Indiferencia, aléjate de mí, por favor,
Retira a este villano, te lo pido con fervor.

Tómese el té caliente. Endúlcelo con miel si así lo desea.

---

**Apuestas**

### ◆ Hechizo para tener suerte en las apuestas

| | |
|---|---|
| una vela verde | 1 moneda de 5 centavos |
| una vela amarilla | 1 moneda de 10 centavos |
| una vela anaranjada | 1 moneda de 50 centavos |
| aceite magnético (aceite vegetal en el que se haya remojado un imán por tres días) | 1 moneda de 1 peso |
| 1 billete de 10 pesos | 1/2 cucharadita de manzanilla |

Haga un signo de pesos en la vela verde, una flecha apuntando hacia la derecha en la vela anaranjada y una flecha apuntando hacia la izquierda en la vela amarilla (véase la figura 3).

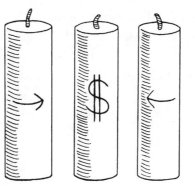

**Figura 3.**

Unja las velas con el aceite magnético. Ponga la verde en medio, la amarilla a su derecha y la anaranjada a su izquierda. Encienda la vela verde y diga:

> **Billete, ven y dinero crece.**
> **Billete verde, a mí que ingrese.**

Encienda la vela anaranjada y diga:

> **Como un imán atrae acero,**
> **A mí que vengan suerte y dinero.**

Encienda la vela amarilla y diga:

> **Éxito, ven y envuelve este hechizo con tu poder**
> **Y a mi suerte en las apuestas, hazla valer.**

Coloque el billete frente a las velas. Ponga unas gotas de aceite en el dedo índice de su mano dominante. Con ese dedo trace una línea diagonal sobre el billete, iniciando por la esquina superior derecha hasta la esquina inferior izquierda; después trace una línea diagonal, iniciando por la esquina inferior derecha hasta la esquina superior izquierda, para formar una X. Diga:

> **Sello este billete con esta imantación cruzada,**
> **Tráeme más hasta que mi bolsa quede saciada.**

Ponga la moneda de 5 centavos al centro del billete y diga:

> **Un quinto para la suerte.**

Ponga la moneda de 10 centavos encima del quinto y diga:

**Diez centavos para construir.**

Ponga los 20 centavos sobre la moneda de 10 centavos y diga:

**Veinte centavos para efectivo tener.**

Ahora ponga la moneda de 50 centavos sobre las demás y diga:

**Un tostón para sellarlo.**

Rocíe las monedas con la manzanilla y diga:

**Éxito y fortuna da a este dinero,**
**¡Quede así sellado lo que deseo!**

Doble las partes más largas del billete sobre las monedas y los lados más cortos hacia el centro para formar un paquete. Ate éste nueve veces con el listón o cinta y diga:

**Lo que deseo ahora, tráelo a mí.**
**Como lo deseo, que se haga así.**

Asegure la atadura con un nudo. Ponga el paquete frente a la vela verde y déjelo ahí hasta que las velas se consuman. Lleve el amuleto en su monedero.

◆ **Para tener buena suerte en las apuestas**
Lleve un par de ojos de venado o tres piedras de ojo de tigre en su monedero para aumentar su suerte en las apuestas.

## ◆ Para tener buena suerte con los naipes

Se cree que lavarse las manos con té de manzanilla trae buena suerte a quienes apuestan a los naipes.

## Armonía ──────────────────────────────

## ◆ Hechizo de listón

| | |
|---|---|
| música suave y tranquila (A mí me gusta usar música clásica para este hechizo, pero cualquier música que lo calme funcionará bien. | tijeras |
| 10 listones de 180 cm de largo y 1 cm de ancho (cualquier color tenue es apropiado, siempre y cuando no choquen entre sí) | 1 vara (de aproximadamente 15 cm de largo) |

Ponga la música y deje que su suave sonido lo relaje. Después doble un listón por la mitad y coloque encima la vara en posición perpendicular. Ponga las puntas del listón alrededor de la vara y entre la curvatura (el doblez del listón) para formar un nudo (véanse las figuras 4 y 5).

Jale las puntas para tensarlo. Haga el mismo nudo sobre la vara con cada uno de los listones mientras dice:

Figura 5.

Figura 4.

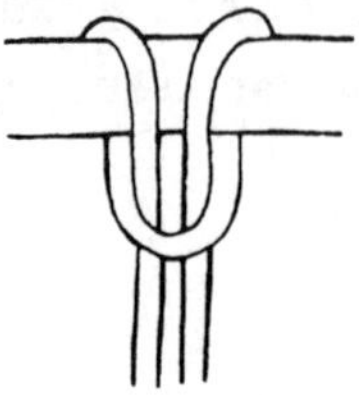

Por la Tierra, la disensión está ahora sujetada.
La armonía emerge por el nudo y el sonido, vitoreada.

Empezando por la izquierda, junte los primeros cuatro hilos en la mano. Con los de afuera, haga un nudo cuadrado alrededor de los de adentro (véanse las figuras 6 a 9).

Mientras ata el nudo, diga:

Colores, téjanse en armonía;
Nudos, detengan poderosamente el caos que desafía.

Continúe con el canto y anúdelos en grupos de cuatro hasta que tenga una hilera de cinco nudos.

Comenzando nuevamente por la izquierda, ponga los dos de afuera a un lado y junte los siguientes cuatro. Ate un nudo cuadrado y cante como antes. Siga atando nudos y cante hasta que tenga cuatro nudos.

Empuje de nuevo los hilos externos hacia un lado. Anude y cante hasta tener tres nudos. Finalmente, ate un nudo cuadrado con los cuatro hilos del centro mientras canta (véase la figura 10).

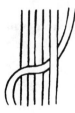

**Figura 6.**

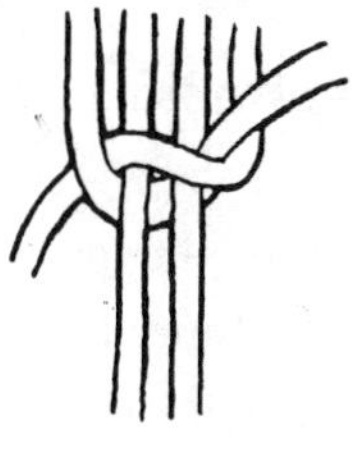

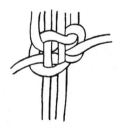

**Figura 7.**

**Figura 8.**

**Figura 9.**

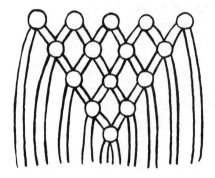

**Figura 10.**

Empareje las puntas y cuelgue la pieza al centro de una pared. Cante:

Armonía, quédate en este sitio, así.
No permitas que el caos muestre su cara aquí.
Mantenlo atado y transmite tu paz a mí.
Como lo deseo, ¡que quede sellado así!

## ◆ Ejercicios de respiración para obtener armonía interna y externa

Para mejores resultados, haga este ejercicio en grupos de cuatro. Practíquelos en la mañana, al mediodía y por la noche, antes de acostarse.

Siéntese en una posición cómoda y enderece su espina dorsal. Presione la fosa nasal izquierda con su dedo e inhale por la otra, hasta contar cuatro. Sostenga la respiración contando hasta 16, luego tape la fosa nasal derecha y exhale hasta contar ocho. Repita el ejercicio iniciando con la fosa nasal derecha.

Mientras respira, sienta cómo la fuerza de la vida y sus beneficios entran a su cuerpo. Sienta cómo la corriente se mueve por todo su cuerpo y lo va purificando, regenerando, fortaleciendo y energizando. Sienta cómo su poder elimina de su cuerpo y espíritu todas las vibraciones negativas.

————————————————————— **Asuntos legales**

◆ **Baño para la buena suerte en asuntos legales**

| 3 cucharadas de flor de caléndula | un trapo blanco o púrpura |
|---|---|
| 1 cucharada de flor de manzanilla | una banda de hule gruesa |

Tome este baño un día antes de su cita legal o en el tribunal, y otro el día de su comparecencia.

Ponga la caléndula y la manzanilla sobre el centro del trapo, junte las puntas y amárrelas con la banda elástica. Arrójelo a la tina y eche el agua caliente. Mientras la tina se llena, cante:

Flores del Sol dorado,
Sonríanme hasta que todo haya terminado,
Permitan que el sistema legal esté de mi lado
Y que las fuerzas opositoras tengan un sitio apartado.

Métase a la tina y sumérjase completamente cinco veces diciendo lo siguiente antes de cada inmersión:

Sistema legal, sé mi amigo, sé mi aliado,
Que así, con tu ayuda, yo habré ganado.

Salga de la tina y permita que su cuerpo se seque solo.

◆ **Amuleto para el éxito legal**

Cuando vaya al juzgado, lleve en el bolsillo un par de nueces de nogal, para así incrementar sus probabilidades de éxito en el asunto legal. Primero dótelas de poder cantando lo siguiente:

Nueces ricas, otórguenme sus poderes;
Inclinen la balanza de la justicia a mis haberes,
¡Permítanme ganar!

### ◆ Amuleto para el juicio

raíz de galanga    un trapo rojo de 15 cm cuadrados
juncia    un listón o cinta color púrpura

Queme una pequeña cantidad de la raíz durante 14 noches consecutivas. Mezcle sus cenizas con una cucharadita de juncia y ponga la mezcla en el centro del trapo. Junte las puntas y amárrelas con el listón. Lleve el amuleto consigo al juzgado para que el juez y el jurado estén a su favor.

### ◆ Programación de citas en el tribunal o en el juzgado

Para obtener resultados favorables, pida a su abogado que programe las audiencias de su caso los jueves.

## Ataques psíquicos ———————————————

### ◆ Hechizo para evitar ataques psíquicos

Para protegerse de ataques psíquicos, hágase un pentagrama en la frente con el dedo índice. Visualice que irradia una luz neón de color azul y cante:

Señor y Señora, giren alrededor,
Cuídenme bien día y noche, por favor.
Con cada hora que pase, guíenme
Y su poder de protección concédanme.
De cabeza a pies, de tierra a cielo,
Manténganme sano y salvo.

### ◆ Amuleto para evitar ataques psíquicos

Para protegerse de ataques psíquicos, use una vara de verbena o lleve en su bolsillo un poco de esta hierba seca.

### ◆ Hechizo para aliviar un ataque psíquico

Construya mentalmente una burbuja que lo envuelva, cubriendo por completo de espejos la superficie exterior. La superficie reflectora hace que cualquier energía negativa rebote hacia su origen.

### ◆ Para deshacerse de quienes le roban la energía

| | |
|---|---|
| 1 pluma por persona | 1 sobre estampado por persona |
| 36 cm de listón color púrpura | 1 bolígrafo |
| una vela púrpura ungida de aceite vegetal y rodada sobre polvo de lavanda | |

**Nota:** trate de utilizar plumas de aves de rapiña. Las de lechuza, halcón o buitre son ideales, pero si no puede conseguirlas fácilmente, también servirán las de cotorra azul, sinsonte o estornino.

Lleve los ingredientes a un sitio donde nadie le moleste. Forme un "bouquet" con las plumas y ate los extremos inferiores con el listón. Encienda la vela. Coloque los sobres y el bolígrafo en el centro del área y, utilizando el bouquet de plumas como una vara mágica y caminando en dirección de las manecillas del reloj, haga un círculo triple alrededor de ellos. Durante la primera ronda diga:

Estoy protegido(a).

Durante la segunda ronda diga:

Soy poderoso(a).

Durante la tercera, diga:

Soy libre.

Siéntese en el centro del círculo y cierre los ojos. Visualice a quienes le roban la energía de pie, frente a usted. Vea los cordones cósmicos que le conectan con ellos. Desprenda una pluma del ramo y, usándola como cuchillo, corte uno de los cordones. Diga:

(*Nombre de la persona*), me libero de ti.
Nuestro lazo lo corto en dos, así.
¡Aléjate!, me debes obedecer,
Aquí no puedes permanecer.
Yo inicio mi vida nuevamente.

Coloque la pluma dentro del sobre y escriba en él el nombre y la dirección de la persona. Repita este proceso con cada uno de aquellos que le roban energía. Después corte el listón en tantos trozos como sobres haya y meta un pedazo en cada uno. Ciérrelos.

Una vez cerrado el último sobre, tómelos con su mano dominante y disuelva el círculo caminando en dirección opuesta a las manecillas del reloj. Diga:

Alejados de mí están el estrés y el sufrimiento
Que ustedes han impuesto a mi vida y pensamiento;
Sus poderes sobre mí ya se han ido
Por Tierra, Luna, Viento y Sol: ¡concedido!

Deje que la vela se consuma por completo y envíe los sobres por correo. (No ponga el remitente.) Estas personas no volverán a robarle la energía.

---

## Atención

### ◆ Para atraer la atención de otros

En uno u otro momento todos experimentamos sentimientos de insignificancia. Para combatirlos y volverse más visibles para los que nos rodean, porte o lleve consigo una pieza de hematita. Esta piedra tiene la capacidad de atraer la atención de otros hacia quien la lleva; sus energías elevan el magnetismo personal y le dan al portador una nueva sensación de importancia.

### ◆ Para recibir admiración

Para atraer admiración y elogios, lleve consigo un poco de tomillo.

---

## Automóviles

### ◆ Para protegerse contra problemas automovilísticos

Con su dedo marque un pentagrama en cada una de las ruedas. Después suba al auto y visualice un pentagrama azul flotando ligeramente sobre éste, con el punto superior de la estrella arriba de la cajuela. Mentalmente "estire" el pentagrama hasta que los puntos fluyan bajo el carro encajonándolo y se unan de nuevo en el centro del chasís.

## ◆ Amuleto para protección automovilística

| | |
|---|---|
| 1 cucharadita de consuelda | 10 cm cuadrados de tela blanca |
| 1 cucharadita de canela en polvo | un listón o cinta rojo |
| una pizca de ajo en polvo | un listón o cinta verde |
| una hematita | un listón o cinta púrpura |
| una aguamarina | |

Mezcle la consuelda con la canela. Añada la pizca de ajo y después las piedras. Mientras mezcla todo, cante:

> De buena suerte serás para viajar, no temas.
> Mantén mi coche fuera de todos los problemas.

Vierta la mezcla sobre la tela y amárrela con los listones para formar una bolsita. Cuelgue el amuleto del espejo retrovisor mientras canta:

> Ni enfermedades, ni problemas, ni reparaciones,
> Este amuleto te protege de esas situaciones.

## ◆ Para no quedarse sin gasolina

Esto será de gran ayuda cuando no esté seguro de que llegará a la siguiente gasolinera.

Mire la aguja del marcador de gasolina y visualice que la manecilla va subiendo. Cante firmemente:

> Dioses del combustible, aumenten mi gasolina, va.
> Ayúdenme ahora, vengan rápidamente, ¡ya!

## ◆ Amuleto para incrementar kilometraje

Para incrementar el kilometraje por litro de gasolina, cargue de energía una piedra de cristal de cuarzo con el siguiente canto y llévela en su vehículo.

Piedra de energía perfecta,
Al kilometraje eficiencia inyecta.
Haz que mis carburadores funcionen a su máximo poder;
Que no exploten, se quemen ni estallen, será tu deber.

## ◆ Amuleto para la protección de problemas con el automóvil

Llevar un bigote de gato en la guantera lo protegerá contra problemas automovilísticos, robo, accidentes e infracciones.

## Belleza

## ◆ Hechizo para belleza facial

un cuarzo rosa    6 pétalos de rosa
una botella de agua
de hamamelis

Contemple su rostro y sus defectos. Visualice que se convierte en la cara que desea. Talle suavemente la piedra sobre las áreas problemáticas y cante:

Piedra de belleza, piedra de amor,
Borra las imperfecciones tallando con fervor.
Dame la cara que en mi mente veo.
¡Así que sea sellado, como lo deseo!

Destape la botella con agua de hamamelis y meta en ella la piedra. Tome los pétalos de rosa en su mano dominante y diga:

> **Venus, la de belleza excepcional,**
> **Te ofrezco estos pétalos, diosa virginal.**
> **Bendícelos con amor y esmero,**
> **Y dales la belleza que requiero.**

Pase los pétalos sobre cualquier línea, arruga o imperfección facial que tenga y después arrójelos al agua de hamamelis.

Selle la botella firmemente y agítela seis veces al día durante una semana. Al final de ésta, utilícela a diario como tónico después de lavarse la cara. Durante la aplicación diga:

> **Imperfecciones, aléjense de aquí.**
> **Bella Venus, acércate hoy a mí.**

### ◆ Hechizo de belleza con ópalo

Cargue de energía un ópalo con el siguiente canto:

> **Esplendor interno, resplandece,**
> **Irradia mi belleza, ¡aparece!**

Frote su cuerpo con la piedra diariamente durante seis días consecutivos, después llévela consigo.

### ◆ Para el crecimiento del cabello

Para acelerar el crecimiento del cabello, corte las puntas durante la Luna nueva; para retrasarlo, córtelas durante la Luna menguante.

------------------------------------------------------ **Bendiciones diarias**

### ◆ Bendición matutina

Poco después de levantarse, encienda una vela blanca y diga esta bendición, o la alternativa que presentamos más adelante. Le garantizo que notará una diferencia en la calidad de su día.

> Las invoco a ustedes, Tres Hermanas, ¡vengan!
> Ustedes que bajo el Árbol de la Vida se encuentran,
> Bendíganme y cuídenme en este día.
> Esto pido y rezo en mi homilía.
> Poderosa Clotos, tú que tejes con amabilidad
> El hilo y el estambre de la vida a voluntad,
> Que mi hebra sea suave pero resistente,
> Así como la esencia del canto de mi vida presente.
> Poderosa Laquesis, tú que tramas con sensatez
> Y mides las telas de la vida con sencillez,
> Entrelaza mi vida bellamente
> Con color y textura que a todos sea evidente.
> Poderosa Átropos, tú que haces una incisión
> En las telas e hilos de la Vida con tanta precisión,
> Concédeme ahora otro día, para luego
> Agradecértelo, esto te ruego.
> ¡Ustedes poderosas Tres Hermanas, vengan!
> Las que debajo del Árbol de la Vida se encuentran,
> Por cada día que me despierto
> Acepten mi agradecimiento.

## ◆ Bendición matutina alternativa

Creador(a) de gracia, que habitas mi interior,
Ayúdame a entender tus maneras, por favor.
Guía mis pasos mientras recorren tu camino
Y mantenme alejado del atajo dañino.
Enséñame a confiar en mí, en mi niño interno,
Y en mis instintos,
Ya que soy un producto de tu Fuerza Creativa;
Y mi sola existencia
Es una parte importante de tu Plan Universal.
No hagas de mi vida un ensayo,
En cambio, hazla un placer
Y háblame por conducto de mi naturaleza intuitiva,
Para que deje de ver a mis caprichos y quimeras
Como pura frivolidad.
Déjame verlos, más bien,
tal y como son,
Una parte importante de lo que soy
En tu mundo.
Que así sea sellado.

## ◆ Bendición para la hora de acostarse

Mientras me acurruco en mi cama,
La almohada bajo mi cabeza, en calma,
Virgen, concédeme sueños de placer.
Madre, tráeme paz serena al amanecer.
Vela mi sueño, hechicera sabia,
Hasta que rompa el alba
Y permíteme despertar sano y bien librado
Cada día que a esta Tierra esté ligado.

## ◆ Bendición para antes de la comida

Oh Madre Tierra, mucho te agradecemos
Por la comida y bebida que aquí tenemos,
Por tu amor y tu protección,
Y por bendecirnos con tu acción.
Te ofrecemos gracias, amor y alegría
Mientras disfrutamos tus regalos, Tierra, Madre mía.

## Cacería

La cacería con arco y flecha es un antiguo y sagrado ritual. Debido a las lecciones que nos da en cuanto a la responsabilidad personal respecto al ciclo de nacimiento/muerte/renacimiento, muchos de nosotros aún lo practicamos. Si usted caza con arco y flecha, pruebe los siguientes hechizos; su magia puede ayudar en gran medida a incrementar su índice de éxitos.

## ◆ Hechizo del cazador con punta de flecha ancha

Utilice este hechizo para asegurar el buen vuelo de la punta de flecha ancha y para atraer la caza rápidamente.

| | |
|---|---|
| una baya de enebro | agua o aceite |
| una piedra para afilar | puntas de flecha anchas |

Muela la baya y frote su jugo sobre la piedra para afilar. Añada a ésta unas gotas de agua o aceite (o cualquier otra cosa que use para afilar las puntas de las flechas). Mientras afila cada punta, cante:

Baya del bosque profundo y brusco,
Otórgame la presa que ahora busco.
Deja que el vuelo de la flecha sea
Ligero y verdadero
Y filoso al cortar, así lo deseo.

## ◆ Canto para una cacería exitosa

Atenea, Artemisa, Diana, Pan,
Dios del bosque, guerreros, cazadoras,
Apóyenme mientras cazo a estas horas
Y permitan a la buena fortuna venir hacia acá.
Aconséjenme mientras acecho a mi presa
En la oscuridad del bosque o a la luz directa.
Protéjanme de lo visible y lo invisible
Y guíenme hacia el blanco perfecto y sensible.
Para que esta noche mi familia tenga de comer,
Ayúdenme, Ancianos, con su poder.

## ◆ Hechizo para atraer venados

Compre una botella nueva de extracto de vainilla. Destápela y visualice una luz roja que fluye desde su Tercer Ojo hasta la botella, coloreando el líquido en ella. Mientras la luz fluye al interior de la botella, cante:

Donde te coloque, tú atraerás
Venados de todas partes, de los costados, de adelante y de atrás.
Los traerás directamente a mí con cuidado.
Así lo quiero, ¡así lo quiero sellado!

Tape la botella nuevamente y llévela a su sitio de caza. Rocíe unas gotas alrededor del área donde desee que los venados se detengan.

## Cambio

(Para hechizos relacionados, véase "Aceptación".)

### ◆ Hechizo para el cambio y el crecimiento transformativo

Este hechizo es ideal para llevarse a cabo cuando sienta que su vida está estancada.

Elija cuidadosamente un diente de león con pelusa. Medite unos momentos sobre el proceso de crecimiento de la flor. Piense en los cambios por los que pasa desde que sale de la tierra hasta que lanza sus semillas para alimentarse.

Mire al diente de león y diga:

> Oh, diente de león de crecimiento y cambio,
> De botón en flor transformado y sabio,
> Después pelusa, luego semilla radiante.
> Pequeña hierba, siempre cambiante,
> Trae a mi vida cambios positivos,
> Tráelos pronto sin conflicto, vivos.
> Ayúdame a crecer también espiritualmente,
> ¡Que el cambio se dé plenamente!

Pida un deseo en silencio para que su vida sea transformada en una existencia más positiva, sople la pelusa del diente de león y diga:

> En tanto que todas estas pequeñas semillas germinan
> Y brotan de la lluvia y los rayos dorados que las iluminan,
> Así también cambiará y brotará mi nuevo ser
> Transformándome por dentro y fuera para renacer.

### ◆ Hechizo para ser más adaptable al cambio

Si tiene dificultades para adaptarse al cambio y necesita aprender a ser flexible, consiga un pequeño bloque de arcilla para moldear (de la que se puede cocer), del color que más le agrade. Trabájela con los dedos. Al principio la arcilla es poco maleable, de manera que quizá necesite algo de ahínco. Mientras amasa, concéntrese en aprender a aceptar el cambio y cante:

> **Como cambio la arcilla que he de amasar**
> **Mis actitudes también pueden cambiar.**
> **El cambio es bueno, me hace crecer,**
> **Muchas veces trae lo que necesito tener.**

Cuando la arcilla se torne blanda y maleable, forme una bola y alísela con los dedos. Escriba su nombre en ella con un bolígrafo y después cante:

> **Esta bola frente a mí, alguna vez un cubo,**
> **Simboliza el cambio de actitud que antes no hubo.**
> **Mientras la cuezo, que en mí se cueza**
> **la tan deseada flexibilidad y fuerza.**

Cueza la arcilla de acuerdo con las instrucciones del paquete. Lleve la bola consigo hasta que sienta que usted se ha vuelto más flexible; luego colóquela en un sitio donde pueda verla con frecuencia.

### ◆ Hechizo para la adaptabilidad

Para hacerse más adaptable al cambio, utilice un ópalo como punto focal. Observe sus colores cambiar y fluir uno dentro del otro. Diga:

> **Ópalo, piedra de matices variados,**
> **Aligera mi camino con tus poderes preciados.**
> **Así como cambias tus colores con facilidad,**
> **De esta rigidez, por favor, dame libertad.**

Lleve el ópalo consigo a toda hora. Repita el hechizo cuando tenga dificultades para adaptarse al progreso y las transiciones.

## Chismes

### ◆ Amuleto de muñeco para acabar con los chismes

| | |
|---|---|
| franela negra | hilo para bordar color púrpura |
| hilo y aguja | una caja |
| relleno de poliéster o algodón | papel periódico |
| una cucharada de corteza de olmo | |

Confeccione un muñeco sencillo con la franela negra, la aguja e hilo y el relleno (véase la figura 11) para representar al ofensor.

Haga un corte en la tela para la boca y rellénela bien con la corteza. Cósala con una trenza de seis hebras del hilo para bordar. Mientras cose, diga:

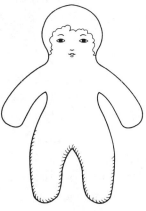

**Figura 11.**

Tu boca está cerrada. No puede hablar
Para chismear o infundios y confusiones crear.
Tu boca permanecerá cerrada y así continuará
Hasta que quiera decir cosas amables y de buena voluntad.

Ponga al muñeco dentro de la caja. Rellénelo con el papel, de manera que su cara quede contra una esquina. Si lo deja en esa posición, el ofensor no sentirá la necesidad de chismear.

## ◆ Para poner un alto a los chismes

Coloque hierba de lengua de venado sobre las suelas de sus zapatos para evitar que otros hablen mal de usted.

## Clima —————————————————————

## ◆ Hechizo para que llueva

Una escoba y un pequeño espacio a la intemperie son las únicas herramientas necesarias para este hechizo, aunque un cielo con un poco de nubes definitivamente ayuda.

Salga a la intemperie, vea al cielo e invoque a Oya (la diosa africana del viento), cantando:

> Oya, Gran Poderosa del Viento,
> ¡Te invoco! ¡Presta tu aliento
> Para unir a estas nubes turbias
> Y atraer así las lluvias!

Voltee la escoba hacia arriba y "barra" el aire de oeste a este deseando que las nubes se junten. Después invoque a Thor, cantando:

> Poderoso Thor de luz y fortaleza,
> Invito a tus poderosas llamas a participar con fiereza.
> Trae tus relámpagos al cielo imponente,
> El tiempo de lluvias es inminente.

Repita el movimiento de barrido, sólo que esta vez hágalo de oeste a sur. Invoque a Zeus, cantando:

Oh Gran Zeus de truenos sonoros,
Presta tu voz de temibles misterios.
Anúncialo por todos los cielos y alerta:
"¡Clima lluvioso, ahora despierta!"

Repita la acción, moviendo la escoba de oeste a norte y, por último, invoque a Melusina, cantando:

Melusina, te llamo otra vez,
Diosa del Agua, diosa parecida al pez,
Lanza tus aguas al cielo con afán
Y rellena las nubes que ahí flotan.

Ahora inicie a partir del oeste, en dirección de las manecillas del reloj y barra el aire sobre su cabeza. Diga:

¡Caigan gotas de lluvia, fluyan gotas de lluvia,
Purifiquen la tierra árida, háganla suya.
Lluevan hasta que su sed hayan saciado
Y la piel de la Madre Tierra suavizado!

Normalmente llueve una hora después de haberse terminado el hechizo.

## ◆ Amuleto para proteger el hogar de los rayos

2 ramas chicas de serbal de     hilo, cuerda o listón rojo
igual tamaño
(de 6 a 9 cm de largo)

Forme con las ramas una cruz que tenga los brazos de igual tamaño. Amarre las ramas con el hilo alrededor del punto donde se cruzan. Cuélguelas en la puerta principal.

◆ **Hechizo para derretir hielo y nieve**

Salga a la intemperie en invierno y cave un agujero en la tierra congelada. Llene con tierra la mitad de una pequeña vasija o maceta. Métala a su casa y amase la tierra con sus dedos. Invoque al Sol, cantando:

Padre Sol, ven en mi ayuda en este instante.
Trae tu luz cálida y brillante.
Derrite la nieve y el hielo.
Trae a la Tierra vida de nuevo.

Cuando la tierra esté suave otra vez, llévela a la intemperie y mire hacia el este. Espárzala sobre el suelo.

## Computadoras

◆ **Protección contra virus de computadora**

Encienda la computadora y defragmente el disco duro. Mientras la computadora distribuye sus archivos, limpie a conciencia el polvo de la caja, el monitor, las ranuras y el teclado. Cante:

Mercurio, Zeus, Apolo, Thor,
Protejan esta máquina eficiente con amor.
Mantengan sus archivos donde corresponden
Y libres de virus los dispositivos que la componen.

◆ **Protección general para computadoras**

Éste es un hechizo magnífico para cualquier computadora, especialmente para aquellas recientemente adquiridas en el hogar. Siga las instrucciones anteriores, pero esta vez utilice el siguiente canto:

Tierra, Viento, Fuego y Mar,
Luna y Sol: escuchen mi plegaria anunciar.
Divinidades de las comunicaciones,
Surjan y preséntense ante mí con soluciones.
Unan sus fuerzas y protejan sin dilación
Los discos, las conexiones y la información.
Luego tejan una red tensa y fuerte sin dilema
Para evitar caídas en el sistema.
Y protejan los programas de todo daño
Y los componentes de fallas eléctricas todo el año.
Por favor, cuídenlos también de otros trucos y maldades
causados por otras divinidades.
Virus y enfermedades eliminen de aquí
Para que los datos fluyan fácilmente hacia mí.
En mi ayuda, oh Ancianos, vengan,
Y protéjanme con la Luna y el Sol, no se entretengan.

## ◆ Para proteger la corriente de energía

Para proteger su computadora contra interrupciones de energía o cortos circuitos, coloque un cristal de cuarzo cerca de la salida eléctrica donde esté conectada.

## ◆ Para que los programas cargados corran eficientemente

los cuatro ases de una
baraja de Tarot
4 cristales de cuarzo

Coloque los cuatro ases sobre la Unidad Central de Procesamiento (CPU), como se indica en la figura 12: el As de Oros arriba del As de Espadas, el As de Bastos a la derecha del As de Oros, y el As de Copas a su izquierda. Al centro de las cartas ponga los cristales, cada uno apuntando hacia un As.

Mientras coloca cada cristal, diga:

> Dale a los programas energía para trabajar con facilidad,
> Para que funcionen fácilmente y no se traben de verdad.
> Que el teclado funcione perfectamente,
> Como lo deseo, ¡así sea sellado plenamente!

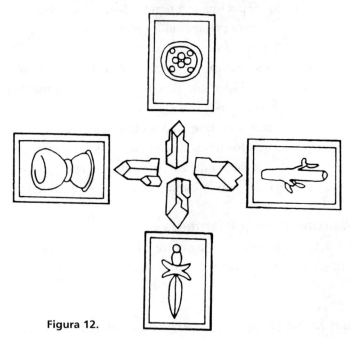

**Figura 12.**

Deje el arreglo una semana y repita el hechizo cada vez que cargue un nuevo programa.

## Comunicación

### ◆ Para que alguien se comunique

una aguja nueva    una vela amarilla

Si desea tener noticias de alguien, clave firmemente la aguja en el centro de la vela amarilla sin ungir (véase la figura 13). Cuando el ojo de la aguja esté sumergido en la cera, escriba el nombre de la persona en la vela. Concéntrese intensamente en que la persona deseada se comunique y encienda la mecha. Deje que la vela se consuma. (Por lo general, la persona se comunica antes de que la mitad de la vela se haya consumido.)

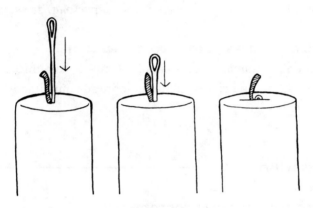

**Figura 13.**

◆ **Hechizo de sal**

Éste también es un hechizo muy eficaz para cuando necesite tener noticias de alguien con quien perdió contacto.

Coloque un vaso con agua en el centro de su área de trabajo. Ponga dos o tres cucharadas soperas de sal en su mano dominante y utilícela para hacer tres cruces de igual tamaño sobre el vaso, dejando que parte de la sal caiga dentro del agua. Mientras hace las cruces, cante:

Escúchame, llámame, ponte en contacto.
Necesitamos hablar. ¡Date prisa!, ¡en el acto!

Espere a que la persona se comunique con usted cuando el agua se evapore.

## ◆ Hechizo de hoja de laurel

Para recibir la llamada telefónica de alguien, escriba el nombre de la persona sobre una hoja de laurel y adhiérala a la parte inferior de la bocina de su aparato telefónico. Cante:

*(Nombre de la persona)*, ¡llámame! ¡Teléfono, suena ya!
En mis oídos la voz de *(nombre de la persona)* se escuchará.

## ◆ Energizar piedras para la comunicación

Después de programar piedras para hechizos de comunicación o para la retención del aprendizaje, colóquelas sobre su computadora para que se carguen de energía.

## Concentración

## ◆ Hechizo para adquirir concentración

una vela blanca    una lupa
extracto de vainilla    papel y lápiz

Dibuje un ojo en la vela. Añada unas gotas del extracto de vainilla a la punta y frote un poco en la mecha. Centre su atención en el aroma e inhale profundamente. Enciéndala y diga:

Mente, serénate, recupera el mando.
Concéntrate en lo que te demando.
Pon atención, no disperses tu pensamiento,
Te ordeno que escuches mi mandamiento.

Sostenga la lupa frente al ojo dibujado en la vela, y después acérquela a su Tercer Ojo. Diga:

Clarifica todos los detalles,
Magnifícalos y no falles.
Atiende cada proyecto uno por uno
Hasta que no quede pendiente ninguno.

Haga una lista de pendientes en orden de prioridad y sitúela frente a la vela. Ponga la lupa sobre la lista. Déjelas así hasta que la vela se consuma completamente. Después lleve la lupa consigo y empiece a resolver la lista.

## ◆ Para fomentar la concentración

Queme una mezcla de sándalo y semilla de apio para fomentar la concentración profunda y el enfoque agudo.

---

# Congoja

(Para hechizos relacionados, véase "Divorcio".)

## ◆ Hechizo de popurrí para aliviar la congoja

| | |
|---|---|
| un tazón | 11 gotas de aceite de fresa |
| una cucharada sopera de milenaria seca | 6 semillas de manzana |
| una cucharada sopera de jazmín seco | una moneda de cinco centavos |
| una cucharada sopera de madreselva | un cristal de cuarzo |
| 11 gotas de aceite de durazno | un cuarzo rosa |

Coloque las hierbas secas en el tazón y añada los aceites. Ponga las semillas de manzana en cada una de las cuatro direcciones, iniciando con el este y terminando con el norte. Sitúe las dos semillas restantes al centro. Coloque la moneda sobre las semillas del centro, el cuarzo transparente arriba de ésta y el cuarzo rosa abajo (véase la figura 14).

Mezcle bien los ingredientes con las manos y cante:

> Dones de la Tierra, dulce popurrí,
> Haz que la congoja se aleje de mí.
> Mientras tu fragancia flota por doquier,
> Destierra de mí toda tristeza y trae el placer.
> Hierbas, piedras, aceites, escuchen mi ruego:
> Así que sea sellado, como lo deseo.

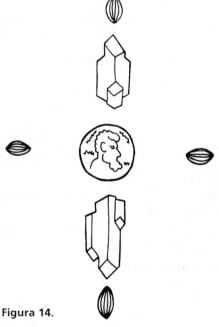

**Figura 14.**

Si hay residuos de aceite del popurrí, frótelos sobre su corazón. Ponga el tazón en su recámara de manera que su aroma sea lo último que huela por la noche y lo primero que huela por la mañana.

### ◆ Amuleto para aliviar un corazón roto

| | |
|---|---|
| una cucharadita de madreselva | una tela amarilla de 15 cm cuadrados |
| una cucharadita de ciclamino | una calcita anaranjada |
| una cucharadita de toronjil | un listón o cinta color lavanda |

En domingo, mezcle las hierbas y las flores y póngalas en el centro de la tela. Mientras añade las hierbas, cante:

Hierbas que calman, hagan el intento,
Ahora les pido que eliminen este sufrimiento.
A mí nueva paz y alegría traigan
Y toda la dulzura y amor que en ustedes haya.

Añada la calcita y diga:

Piedra del Sol que amplifica,
Mézclate con estas hierbas y magnifica
Las bondades de sus propiedades y su beldad
Y concédeme nueva paz y felicidad.

Junte las esquinas de la tela para formar un saquito. Asegúrelo con el listón y llévelo consigo.

## Conocimiento

(Para hechizos relacionados, véase "Habilidad mental".)

### ◆ Amuleto de fluorita para estudiantes

|  |  |
|---|---|
| una taza de agua | una fluorita (suelta o montada en joyería) |
| una cucharada sopera de espicanardo | |

Hierva el agua y viértala sobre el espicanardo para hacer un té. Deje que éste se enfríe a temperatura ambiente y luego ponga la piedra adentro. (Si la fluorita está engarzada en alguna pieza de joyería, sólo rocíela con el té.) Cante:

> Fluorita, piedra de los estudiantes perfecta,
> Mézclate con el espicanardo para afilar esta
> Retención de conocimiento y capacidad de memoria.
> ¡Que se haga tal y como lo deseo! ¡Será mi gloria!

Deje la piedra 24 horas, después cárguela o llévela consigo.

### ◆ Para la retención del conocimiento y la estimulación de la memoria

Para retener el conocimiento, lleve consigo espicanardo. Un poco de esta hierba cosida en el forro o en el doblez de una prenda de vestir que se use el día de un examen, da muy buenos resultados.

### ◆ Té para la retención de conocimientos

Beba este té durante las horas de estudio. Utilice el espicanardo y el agua en las mismas proporciones que para el anterior amuleto de fluorita, pero ahora haga el té en cafetera eléctrica. Durante el tiempo de preparación, cante:

Hierba de espicanardo, base de conocimiento agradable,
Haz que mi memoria sea buena y saludable.
Dame un entendimiento firme de lo que aprenda
Para que pueda recordarlo letra por letra.

Endulce el té con miel si lo desea y bébalo.

### ◆ Para evitar los olvidos

Para evitar los olvidos lleve consigo una flor de pensamiento.

## Consagración

### ◆ Consagración general para herramientas rituales

(*Divinidad o divinidades de su elección*)
te pido a cuenta
Que añadas poder a esta herramienta.
Bendícela en tu nombre sagrado
Y no dejes que su poder se vea mermado.
Esta herramienta a ti he consagrado.
Como lo deseo, ¡que así quede sellado!

## Creatividad ─────────────────────────────────

(Para hechizos relacionados, véase "Inspiración".)

### ◆ Ritual para la creatividad

| | |
|---:|:---|
| sal | una pequeña maceta con tierra |
| una vela verde | papel y lápiz |
| aceite de olivo | un tazón con agua |
| una vela amarilla | un puñado de frijoles pintos, semillas de flor o cualquier otra semilla fácil de germinar |
| incienso para la creatividad (véase sección de recetas del capítulo tres) | 1-2 varas de fertilizante |
| tijeras | |

En lugar de un círculo normal, haga uno triple con sal. Mientras forma el primer círculo, diga:

**Para la Diosa**

Durante la segunda vuelta, diga:

**Para el Dios**

Durante la tercera:

**Para las Musas**

Párese en el centro del círculo y, mirando hacia las direcciones apropiadas, invite informalmente a los Elementos a que se le unan y le presten sus energías. Unja la vela verde con el aceite, enciéndala y diga:

El verde simboliza el crecimiento,
Nutre mi esencia y fundamento.
Trae riqueza fértil a toda mi vida
Y hace que mi espíritu crezca sin medida.

Unja la vela amarilla y enciéndala diciendo:

Espíritu de la Musa, ven a mí,
Renueva el espíritu y alma que yo perdí.
Concédeme la productividad.
Hazme nuevo e íntegro con tu bondad.

Ponga una gota de aceite en el incienso, enciéndalo y diga:

Aire y hierba, humo y Fuego,
Fusiónense, yo les ruego,
Concédanme toda su esencia
Y ayúdenme con inteligencia.

Mientras se concentra en eliminar la esterilidad de su Yo Creativo, tome la maceta y remueva la tierra con los dedos procurando deshacer todos los terrones hasta que la sienta tan fina como la seda. Mientras lo hace, cante una y otra vez:

De la Diosa soy el producto.
Del Dios soy el producto.
Sus energías dentro de mí existen
Y la tierra fértil de mi espíritu nutren.
Antes tan seca y erosionada,
Ahora blanda y fertilizada
Se encuentra lista para poder plantar
Las semillas de lo Divino que han de brotar.

Cuando la tierra esté lista, tómese unos minutos para hacer una lista de los problemas que crea que bloquean su creatividad. Tache cada uno y escriba a un lado sus opuestos. Por ejemplo, si la desidia es uno de los problemas, la tenacidad podría ser una buena alternativa; el letargo podría ser sustituido por la energía; la depresión por el gozo, y así sucesivamente. Complete la lista.

Tome un frijol o una semilla y sumérjala en el tazón con agua, diciendo algo como:

De (*el problema*) me purifico,
Lo expulso de mi ser y lo petrifico.
Por (*el opuesto*), lo remplazo ahora
Y que en mí permanezca a toda hora.

Saque el frijol o la semilla del agua y diga:

Ahora la cualidad de (*el opuesto*) tienes
Por lo que todos sus elementos contienes.

Plante el frijol en la maceta. Haga lo mismo por cada uno de los problemas listados, hasta que todas las semillas hayan sido purificadas y sembradas. Introduzca las varas de fertilizante en la maceta y riegue bien las semillas diciendo:

Mientras estas semillas son fertilizadas,
Mi esencia y mi alma son alimentadas.

Visualice a las semillas brotar y crecer como plantas exuberantes y sanas. Después de unos momentos, diga:

Crezcan, pequeñas semillas, y mientras crecen
Sus cualidades crecerán en mí.
Nuestro suelo es fértil, nuestras raíces se fortalecen.
Como lo deseo, ¡que sea así!

Recorte la lista por la mitad y queme "la columna de los problemas" en el incensario, eliminando simbólicamente los bloqueos de su vida. Doble la otra mitad varias veces (nueve, si le es posible) y plántela en la maceta. Agradezca a los Elementos su cooperación y despídase de ellos. Piense que los problemas han desaparecido y que la esencia de su vida es fértil nuevamente y está lista para producir.

(**Nota**: no olvide regar las semillas y trasplantarlas de ser necesario, ya que sus recién adquiridas cualidades crecerán en la medida que las plantas florezcan.)

### ◆ Amuleto para impulsar la creatividad

Tenga cerca una citrina y una calcita anaranjada cuando necesite de un propulsor creativo. Estas piedras están conectadas a las Musas y contribuyen en gran medida al flujo de la creatividad.

## Depresión

(Para hechizos relacionados, véanse "Ansiedad" y "Estrés".)

### ◆ Hechizo para aliviar la depresión

| | |
|---|---|
| una vela blanca (que no gotee) | una kunzita o ágata azul |
| un marcador negro de punta ancha | toronjil |
| aceite de limón (el que se usa para pulir muebles funciona bien) | un saquito de tela |

Inicie pintando la vela de negro con el marcador para simbolizar la depresión por la que está pasando. Enciéndala y diga:

> Llama, rompe la depresión, derrítela
> Hasta el final, hazla llorar y llévatela.
> Concédeme poder para resurgir,
> De su cárcel me escapo para huir.

Vea la vela consumirse hasta que aparezca cera blanca en la llama. Frote un poco de aceite de limón en la piedra y diga:

> Ágata (o *kunzita*), piedra de tenue tono,
> Disuelve esta depresión, te imploro.
> Toma este poder y transforma su fuerza
> En energía positiva que yo ejerza.

Frote suavemente la piedra contra sus sienes y su corazón, después sitúela frente a la vela, rociándola con el toronjil. Permita que se consuma completamente. Ponga la piedra y la hierba dentro del saquito de tela y llévela consigo. Cuando necesite reanimar su espíritu, unja nuevamente la piedra y repita el canto de fortalecimiento.

### ◆ Brebaje para erradicar la melancolía

| | |
|---|---|
| una taza de hojas de toronjil (frescas, si es posible) | envoltura de plástico |
| una jarra grande | una botella de Ginger Ale |
| una botella de vino blanco (Riesling u otro tipo de vino de frutas) | (gaseosa de jengibre) rebanadas de limón |

o
un cuarto de limonada (para
una bebida no alcohólica)

Machaque el toronjil y ponga sus hojas en la jarra. Añada el vino sobre ellas y cante:

Vino y hierba, mézclense bien ahora,
Traigan a mi espíritu un día soleado sin demora.
Mientras te bebo, que la melancolía se espante
Por medio de brisa, tierra, mar y Sol radiante.

Cubra la jarra con la envoltura de plástico y guárdela en el refrigerador por lo menos una hora. Ponga hielo en un vaso largo y luego llénelo a la mitad con el vino. Concluya agregando al vaso el Ginger Ale, revuelva y decore con una rebanada de limón. Sostenga el vaso en alto brindando por las divinidades y cante:

¡Una vida feliz me concedo,
Y todas las alegrías de duendes, gnomos y hadas que puedo!
¡Mientras bebo, aléjate, depresión!
¡Que así se selle esta misión!

Beba el trago y sienta cómo la melancolía se desvanece.

### ◆ Amuleto para eliminar la depresión

Lleve consigo una raíz de loto para purificar la mente de pensamientos turbios y levantar el ánimo.

## Deseos

### ◆ Novenaria para deseos de Luna nueva

9 velas (del color   un bolígrafo
apropiado para su causa)
9 pedazos pequeños
de papel

Comience este hechizo en la primera noche de Luna nueva y llévelo a cabo nueve noches consecutivas. Inicie desde el principio si omite una noche.

Escriba su deseo con letras de molde en cada pedazo de papel y coloque una vela sobre cada uno de ellos. Encienda una vela cada noche y deje que se consuma por completo al mismo tiempo que visualiza que su deseo se cumple.

### ◆ Saquito del deseo

un pequeño pedazo de papel
incienso del deseo
(véase sección de recetas
del capítulo tres)

Escriba su deseo sobre el pedazo de papel y ponga encima un poco de incienso. Levante las esquinas del papel y enrósquelas fuertemente de manera que forme un saquito. Préndale fuego mientras visualiza cómo su deseo se cumple. Si el papel se quema completamente, espere que sus deseos se cumplan de inmediato. Tener que volver a prender fuego al papel una o dos veces significa que obtendrá resultados positivos, pero sólo luego de vencer algunos obstáculos. Tener que volver a prenderlo más de dos veces es señal de que su deseo no se cumplirá o de que ese deseo no es bueno para usted. (Sólo supe de una ocasión en la que este hechizo no dio los resultados deseados y tiempo después descubrí que el practicante deseaba hacerle daño a otra persona.)

### ◆ Deseo de Luna llena

Lleve nueve monedas de 5 centavos a la intemperie durante la Luna llena. Mírela y permita que su luz lo ilumine. Extienda los brazos como si fuera a abrazarla y haga su petición. Después diga:

> Has dicho que cuando estás presente, contestadas
> Las plegarias son y las cadenas desatadas.
> Prometiste que bajo tu luz, llena de beldad,
> Los deseos de uno se harán realidad.

Arroje las monedas en su dirección y luego cante:

> Toma esta muestra de mi amor,
> Mientras tu luz plateada me ilumina, por favor,
> Trae lo que de ti pido, con el alma,
> Con la noche oscura y el rocío del alba.

Agradézcale a la Luna y retírese.

### ◆ Baño del deseo con verbena

Coloque dos cucharadas de verbena en el tazón del filtro de la cafetera. Añada una jarra completa de agua. Mientras el brebaje gotea, concéntrese en su deseo y visualice cómo se vuelve realidad. Cante:

> Verbena, hierba de dulces deseos,
> Cumple mi anhelo ahora, escucha mis ruegos.

Prepare un baño caliente y añádale la infusión. Sumérjase completamente nueve veces, diciendo cada vez:

> Deseo, vuela rápidamente a mi lado.

¡Como lo deseo, así que quede sellado!

Salga de la tina y permita que su cuerpo se seque solo.

### ◆ Magia del deseo del Día de mayo o Beltane

Junte los restos de cera de sus velas mágicas durante todo el año. El día de Beltane, colóquelas sobre papel tisú de colores y átelo con un listón púrpura. Pida un deseo fervientemente y arrójelo al fuego.

### ◆ Magia del deseo con hoja de laurel

Escriba su deseo en la parte posterior de una hoja de laurel y guárdela en una caja cerrada. Cuando su deseo se cumpla, queme la hoja en agradecimiento a los Antiguos.

## Dieta

(Para hechizos relacionados, véase "Adicción".)

### ◆ Ritual de persuasión para hacer dietas

Lleve un topacio azul a un lugar tranquilo y siéntese cómodamente. Ponga la piedra a un lado, cierre los ojos y junte bien las manos con las palmas encontradas. Sienta el calor de la energía fluir entre sus dedos y palmas. Visualice la energía como una luz blanca.

Separe las manos un poco forzando a la energía a extenderse. Continúe separándolas y expandiendo la fuerza energética hasta lograr una distancia de 15 centímetros. Moldee la energía con los dedos formando una bola y luego comprímala hasta lograr el tamaño de la piedra.

Sostenga la energía comprimida en una mano y el topacio en la otra y luego junte las manos para combinarlos. Diga:

Forma de pensamiento de mi energía,
Habita esta piedra donde nada había.

Abra las manos y respire sobre la piedra. Diga:

**Comparto contigo el aire que respiro.**

Sostenga la piedra sobre su frente y luego llévela al corazón, diciendo:

**Te doy los fuegos de la pasión y del intelecto.**

Frote un poco de saliva en ella y diga:

**Te doy las aguas de la vida.**

Frote la piedra a lo largo de sus pies y diga:

**Te doy la fuerza del fundamento.**

Apriete la piedra con su mano dominante hasta que le punce y pulse con energía. Abra la mano y cante:

Tú, la más azulada, piedra de topacio,
Tu vida es mía, habita mi espacio.
Obra para mitigar mi voraz apetito
Y dame la buena salud que necesito.
Dame fuerzas para mantenerme alejado
De la grasa y el azúcar que me han dañado.
Trae la fuerza de voluntad que requiero,
¡Que así sea sellado, así lo quiero!

Use o lleve consigo la piedra durante el tiempo que esté a dieta.

## Dinero

### ◆ Hechizo para obtener dinero

una vela verde    albahaca (en polvo)
aceite vegetal

Escriba en la vela su nombre y la cantidad exacta de dinero que necesite (ni más ni menos). Unja la vela con el aceite y ruédela sobre la albahaca. Enciéndala y diga:

¡Dinero, ven, dinero, crece.
Dinero mío, ven a mí,
Que soy quien te merece!

### ◆ Frasco de dinero

papel y bolígrafo    7 monedas de 10 centavos
un frasco de un litro    una hoja de laurel
con tapa de rosca

Escriba lo que necesita sobre el papel y métalo en el frasco. Tome las monedas con su mano dominante e introdúzcalas al frasco una por una. Mientras caen, visualice cómo se multiplican en cantidades enormes y diga:

El dinero se incrementa con este deseo,
Con saltos y uniones se desborda sin titubeo.
Monedas que tintinean, monedas que relucen,
Vengan a mí, me pertenecen.

Escriba su nombre al reverso de la hoja de laurel y échela dentro del frasco. Ciérrelo muy bien y póngalo en un sitio donde pueda verlo diariamente, pero donde no pueda mirarlo cualquier persona que entre a su casa. Añada una o dos monedas al frasco cada día y verá cómo el dinero fluye hacia usted de donde menos lo esperaba. Después de obtener la cantidad deseada, saque el papel del frasco y entiérrelo afuera o en una maceta con una planta.

## ◆ Baño para adquirir dinero

Ponga una cucharadita de canela y cuatro de perejil en el tazón del filtro de la cafetera eléctrica. Añada cinco tazas de agua y deje hervir. Prepare un baño de agua caliente y añádale una taza del té. Mientras tanto, cante:

> Dinero, ven a mí, de lejos y de cerca crece.
> Dinero, ven a mí, por favor aparece.

Sumérjase completamente en el agua cinco veces, luego quédese en la tina ocho minutos. Concéntrese en la mejoría de sus finanzas. Deje que su cuerpo se seque solo.

Para mejores resultados, tome este baño cinco días consecutivos, utilizando una taza de té por cada baño. Guarde el té en un frasco con tapa de rosca y manténgalo en el refrigerador entre un baño y otro.

## ◆ Ritual de vela para el tránsito de un trimestre a otro

Para obtener la máxima eficacia, realice este ritual durante el primer minuto del día de transición de un trimestre a otro, un minuto después de la medianoche del primero de febrero, el primero de mayo, el primero de agosto o el primero de noviembre.

| | |
|---|---|
| aceite de pino | 9 velas blancas |
| una vela amarilla o dorada | sal |
| 6 velas verdes | |

Para asegurarse de que el hechizo inicie en el momento apropiado, unja cada vela con aceite de pino y colóquelas sobre el altar un día antes del ritual. Primero ponga la vela dorada en el altar. Acomode las velas verdes en círculo alrededor de la dorada y luego haga otro círculo con las blancas alrededor de las verdes (véase la figura 15).

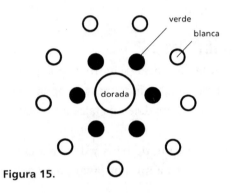

**Figura 15.**

Exactamente un minuto después de la medianoche, haga un círculo de sal alrededor del grupo de velas. Enciéndalas iniciando con la dorada del centro; continúe con la verde que está detrás de ella y, en el sentido opuesto a las manecillas del reloj, encienda las demás velas del círculo. Por último, del mismo modo, encienda las velas blancas.

Camine tres veces, alrededor del altar, en dirección de las manecillas del reloj, diciendo en cada ronda:

**Júpiter, orbita alrededor del Sol,**
**Y tráeme el dinero a este son.**

Mientras observa cómo se consumen las velas, medite sobre sus necesidades financieras. Visualice que obtiene la cantidad de dinero suficiente para cubrir esas necesidades. Puede dejar que las velas se consuman por completo, o bien, apagarlas en el orden contrario.

## ◆ Hechizo rumano para atraer dinero

Coloque un pequeño tazón o taza en un sitio donde pueda verlo todos los días. Sostenga tres monedas de cualquier denominación con su mano dominante y diga:

> Trinka cinco, trinka cinco,
> Espíritus ancestrales, vengan a la vida de un brinco.
> Dinero, crece, dinero, florece,
> Con el Espíritu del Trinka que te fortalece.

Arroje las monedas en el recipiente. Repita el hechizo diariamente, agregando otras tres monedas cada día durante nueve días consecutivos. Después, realice el hechizo una vez a la semana hasta que obtenga la cantidad de dinero que necesita.

## Divorcio

(Para hechizos relacionados, véanse "Congoja" y "Separación pacífica".)

## ◆ Ritual para aliviar el dolor producido por el divorcio

| | |
|---|---|
| una fotografía suya y de su ex pareja | una vela blanca |
| cerillos | un ramo de violetas (sustitúyase por unas varillas de lavanda o una rosa blanca si lo desea) |
| un recipiente a prueba de fuego, lleno de tierra hasta la mitad | un tazón con agua |

Tome la fotografía y obsérvela con detenimiento. Memorice cada detalle. Cuando pueda verla con claridad en su mente, encienda un cerillo y préndale fuego iniciando por la esquina más cercana a la imagen de su ex pareja. Colóquela sobre el recipiente y déjela consumirse, diciendo:

Antes hubo amor donde ahora hay dolor,
Te devuelvo tu vida y te relevo sin temor
De todo poder que tienes sobre mí.
Mi vida es mía, ¡me libero así!

Meta las flores en el agua y utilícelas para rociar su cuerpo de cabeza a pies. Diga:

Me enjuago el dolor con agua clara.
Me lavo y purifico del temor para
Adquirir nuevo poder y aliento.
Renazco en este mismo momento.

Escriba su nombre en la vela y enciéndala. Observe cómo la llama se aviva y gana fuerza. Diga:

Acepto una nueva vida en este momento
Y me libero de estrés y sufrimiento,
De remordimiento, dolor y miseria,
Como lo deseo, ¡así se sella!

Deje que la vela se consuma completamente.

### ◆ Amuleto para aliviar el dolor del divorcio

Poner celastro o toronjil bajo la almohada alivia el dolor producido por el divorcio y trae la perspectiva fresca necesaria para iniciar una nueva vida.

——————————————————————————— **Elocuencia**

## ◆ Hechizo para hablar con seguridad

Este hechizo es excelente para aquellos que tartamudean o que no pueden verbalizar bien sus pensamientos.

una ramita de tomillo fresco    cornelina

o

un cuarto de cucharadita de
tomillo seco, remojado
durante la noche en una
cucharada de aceite vegetal

Frote el tomillo entre sus dedos pulgar e índice hasta que su aroma quede impregnado en ellos. (Si optó por el aceite, ponga una gota sobre su dedo índice.) Frote la esencia de tomillo o el aceite sobre la cornelina y con la piedra marque un pentagrama en su frente, otro en sus labios y uno más en su garganta. Sostenga la piedra y visualice una luz amarilla proveniente de su Tercer Ojo que se introduce en ella. Cante:

Sarasvati, la que fluye en torrente,
Destraba el habla de mi mente.
Deja los pensamientos de mi lengua fluir,
Da elocuencia a mi discurrir,
Que fluya con facilidad perfecta.
Por favor, dame dicción correcta.
Elimina todo balbuceo rampante,
Permite que con mis palabras cante,
Para así poder expresarme fácilmente,
¡Así que quede sellado en mi mente!

Cargue la piedra consigo y frótela cada vez que tenga dificultades para hablar. Mientras lo hace, ore en silencio las dos primeras líneas del canto a Sarasvati:

> Sarasvati, la que fluye en torrente,
> Destraba el habla de mi mente.

◆ **Para promover habilidades de lenguaje y habla**

Portar un saquito lleno de corteza de olmo alrededor del cuello propicia que tenga un buen manejo del lenguaje y habilidades para hablar.

## Empatía

(Para hechizos relacionados, véase "Apatía".)

◆ **Oración para volverse más empático**

> Diosa Madre de la compasión,
> Ayúdame a entender de corazón
> El sentir de los demás para así ayudarlos.
> Guíame con tu mano gentil para apoyarlos.
> Trae a mí sus emociones auténticas y sinsabores,
> Dime sus sueños, esperanzas y temores.
> A aliviar sus sufrimientos, enséñame,
> Sus risas y sus lágrimas, muéstrame.
> Ayúdame a entender mejor
> Las necesidades de otros, por favor.
> Ayúdame a nutrir a todo ser por mí querido,
> Como lo deseo, ¡que me sea concedido!

### ◆ Para eliminar energía negativa adquirida de otros

Las personas que sienten empatía o afinidad con otros con frecuencia tienen dificultad para soltar la basura emocional y el dolor que adquieren de ellos. Si se ignoran, estos desperdicios pueden causar ansiedad y enfermedades físicas.

Para eliminar el exceso, visualice un pequeño hoyo en la parte baja de su espalda. Mentalmente dirija hacia él la energía negativa y deje que salga a la tierra. Cuando no quede nada, cierre el hoyo.

---
## Enemigos

### ◆ Para que alguien deje de interferir en su vida

Escriba el nombre de su enemigo en un pedazo de papel y métalo en una bolsa de plástico con cierre. Llénela con tres cuartas partes de agua, ciérrela bien y póngala en el congelador.

### ◆ Para que alguien lo deje en paz

Unte un pañuelo con aceite de pachuli, mientras dice:

> (*Nombre de la persona*), de mi lado vete,
> Apartado(a) de mi vida mantente.

Envíelo a la persona en cuestión. No ponga remitente en el sobre.

---
## Energía

### ◆ Amuleto de piedra para la energía física

Tome un pedazo de adularia o albita y al amanecer colóquela en la cornisa de una ventana que dé al este. (Otra posibilidad es ponerla fuera de su casa en dirección al este, donde pueda absorber los rayos del Sol de la mañana.) Ofrezca la piedra al Sol y cante:

Orb, llama de poder creciente,
Añade energía vital, que se incremente,
A esta piedra con pintas de oro dorado.
Otórgale tu poder, grande y osado,
Y cuando la luz del día se haya ido
Y esta piedra haya sido cargada con tu brío,
A mí vendrá de regreso al hogar
Para que de tu energía yo pueda disfrutar.

Permita que la piedra absorba la energía del Sol naciente, pero no la retire hasta después del ocaso. (Esto da tiempo suficiente para que la energía se "asiente" en ella.) Llévela consigo.

## Energía negativa

◆ **Hechizo para liberar la energía negativa**

una obsidiana

un cuarzo rosa

Lleve la obsidiana a un sitio tranquilo fuera de su casa. Sosténgala en su mano dominante y contemple la negatividad en su vida. Concéntrese en ella y hágala objeto de su ira. Patalee, grite, maldiga, brinque hacia arriba y hacia abajo, haga lo que sea necesario para entrar en un estado emocionalmente explosivo y luego dirija esa energía hacia la obsidiana. Llene la piedra de todas las cosas malas de su vida hasta que no sienta ningún dolor dentro de usted.

Arroje la piedra tan lejos como pueda. Dele la espalda, respire profundamente y regrese a su casa.

Tome ahora el cuarzo rosa con su mano receptiva (si usted es diestro tómela con su mano izquierda y viceversa). Siéntese o recuéstese en una posición cómoda. Concéntrese en el color del cuarzo rosa. El color es una representación de su corazón. Llene la piedra con amor. Háblele de todas sus alegrías, amores, sueños y esperanzas. Llévela consigo.

## ◆ Baño para remover la energía negativa

Este baño es extremadamente útil para purificar cuerpo y espíritu de la energía negativa, en especial los elementos dañinos provenientes de otras personas. También protege contra la acumulación futura de energías negativas.

Coloque seis cucharadas de albahaca en el filtro del tazón de la cafetera automática y añada una jarra de agua. Mientras la infusión está lista, prepare un baño de agua caliente y vierta en él la infusión. Cante:

> Albahaca, hierba de la luz y del día,
> Enjuaga de mí toda mala energía.

Quédese en la tina seis minutos y sumérjase completamente cuatro veces. En cada inmersión visualice que se lava de todos los males.

## ◆ Para remover entidades negativas

nueve velas azul claro
(las veladoras también
funcionan)

aceite e incienso de Kyphi
(véase la sección de
recetas del capítulo tres)

Es importante que este hechizo se lleve a cabo durante nueve noches consecutivas para su eficacia total. Si se llegara a omitir una noche, entierre los restos de las velas quemadas y comience de nuevo con velas nuevas.

Unja una de las velas y encienda el incienso. Visualice una luz azul claro que cubre su hogar y a los miembros de su familia. Encienda la vela y diga:

Criaturas dañinas, oigan estas palabras al aire,
Vuelen lejos de aquí, vuelen como un ave.
Escúchenme bien, ahora les ordeno,
Aléjense de este espacio, de este lugar sereno.
¡Fuera!, les digo, con tono potente.
Retomen su vuelo y váyanse pacíficamente.

Deje que la vela se consuma por completo.

## Equilibrio

### ◆ Oración a los elementos

Utilice esta oración cuando se sienta de mal humor, sin ganas de hacer
nada o necesite encontrar equilibrio en sus circunstancias personales.

Aire, ven a mí, tan fresco y limpio, trae tus vientos,
Concédeme poder mental, mantén claros y agudos mis pensamientos.
Tráeme claridad y también creatividad.
Da tus aspectos positivos a toda mi actividad.

Agua, ven a mí, tan fluida y libre en la naturaleza,
Préstame compasión, amor y gentileza.
Concédeme comprensión y los temperamentos
Por favor calma,
Y toda pequeña aspereza de la vida
Ayúdame a limarla.

Fuego, ven a mí, tan cálido y brillante,
Ilumina el camino de la vida por el que voy andante,
Por favor ayúdame a vivir y a amar
Con entusiasmo puro,
Abogando por la Verdad,
Cuando me prueben, ahora y en el futuro.

Tierra, ven a mí, tan rica y húmeda, por favor
Otórgame tu paz y alegría serenas, dame tu amor,
Haz que tu estabilidad y ética también sean mías
Para poder ayudar a otros el resto de mis días.

Akasha, ven y trabaja con estos cuatro elementos
Y equilibra sus aspectos dentro de mí en estos momentos.
Transforma mi vida puesto que tú tienes la llave,
Para convertirme en lo que debo ser, tienes la clave.
Elementos de todo lo que es y será y se hizo,
Por favor envuelvan en armonía pura este hechizo,
Con facilidad tejiendo los hilos de mi existencia
Y bordando su tela con bendiciones a conciencia.

#### ◆ Para el equilibrio emocional

Lleve todo el tiempo consigo un ojo de tigre rojo y una hematita. El ojo de tigre recoge la energía disipada y la hematita la estabiliza y la transforma en una fuerza positiva y útil.

#### ◆ Canto afirmativo para equilibrar lo físico y lo espiritual

Por dentro y por fuera,
Mi armonía por todas partes impera.
Con ambos mundos soy uno,
Mi espíritu gira en cada uno.

#### ◆ Para mantener el equilibrio

Portar o llevar consigo un cristal de terminado doble o un diamante herkimer ayuda a mantener el balance perfecto entre los mundos espiritual y físico.

#### ◆ Baño para equilibrar los chakras

Añada un litro de cerveza a una tina llena de agua caliente. Métase en ella y relájese. Cante:

Levadura y espuma, equilibren y purifiquen a la vez
Los bloqueos de los chakras por el frente y el revés.
Lávenlos de pies a cabeza
Para que yo tenga la certeza.

Quédese en la tina el tiempo que desee, sumergiéndose en el agua dos veces. Permita que su cuerpo se seque solo.

## Estacionamiento

◆ **Para encontrar un lugar donde estacionarse**

Cuando el estacionamiento esté repleto y no encuentre un sitio para estacionarse, utilice este canto. Nunca falla y usualmente le proporciona un espacio cerca de la puerta principal.

Diosa Madre, levanta la mirada
Y encuéntrame un lugar cerca de la entrada.

◆ **Para localizar su auto estacionado**

Si no recuerda dónde estacionó su automóvil, cierre los ojos y cante:

Oh, Antiguos de aquí y de allá,
Ayúdenme a encontrar mi auto ya.

Abra los ojos y busque su automóvil. Por lo regular, lo verá de inmediato.

## ◆ Baño para aliviar el estrés

| | |
|---|---|
| 3 cucharadas de flor de manzanilla | una cucharada de avena |
| una cucharada de lúpulos | una cucharada de hojas de consuelda |
| 2 cucharadas de caléndula | una cucharada de raíz de consuelda |

Coloque los ingredientes en el tazón para el filtro de la cafetera y añada una jarra entera de agua. Mientras la mezcla está lista, prepare un baño caliente. Añada la infusión y cante:

> Hierbas, fluyan en el agua con pureza,
> Relájenme ahora de pies a cabeza.
> Disuelvan todo estrés y alivien mi tensión,
> Enjuaguen de mí toda aflicción y disensión.
> Purifíquenme con todo su poder,
> Para que pueda relajarme a placer.

Quédese en la tina por lo menos treinta minutos.

## ◆ Hechizo de agua salada para aliviar el estrés

Llene un vaso transparente con agua. Añada tres pizcas de sal al vaso, revolviendo el agua en dirección de las manecillas del reloj después de cada adición. Con la primera pizca, diga:

> Una pizca para calmar.

Con la segunda:

> La segunda para relajar.

Y con la tercera:

<blockquote>

**La tercera el poder del acto mágico va a crear.**

</blockquote>

Lleve el agua a un sitio tranquilo donde no lo molesten. Visualice todo el estrés y la energía negativa acumuladas en un bulto interior. Ponga el vaso cerca de su boca y poco a poco sople el contenido del bulto dentro del vaso con agua. Vea cómo la carga de estrés con un color desagradable pasa de usted al vaso y transforma el agua en un líquido del mismo tono pútrido. Continúe soplando dentro del agua hasta que sienta que cada partícula de enojo, estrés y energía negativa abandona su cuerpo. Cuando el agua esté saturada de sus problemas, cante por encima del vaso:

<blockquote>

**Gran Cambiante del Tiempo y Gracia,**
**Borra toda negatividad con tu magia.**
**Transforma esta energía en una poción**
**De tranquilidad pacífica y positiva moción.**

</blockquote>

Tome el vaso en sus manos y sienta cómo el poder transformador del Creador/Creadora brota hacia sus entrañas. Vea cómo el agua cambia de color lentamente, primero en el perímetro de la superficie y hasta teñirse por completo. Una vez que el cambio haya terminado, beba el agua. Permita que la nueva energía positiva lo llene. (Beber la nueva energía también funciona para escudarse de estrés futuro.)

### ◆ Amuleto para aliviar el estrés

Para aliviar el estrés lleve consigo una amatista o téngala cerca a un radio de tres metros. Esta piedra es un absorbente natural del estrés.

### ◆ Vela de tranquilidad

Escriba el símbolo que se muestra en la figura 16 sobre el costado de una vela azul claro. Dibuje dos círculos que se intersecten horizontalmente, luego centre un tercer círculo debajo de los dos para formar una intersección con ambos. (Las intersecciones forman el diseño de una triada o elemento trivalente.) Debajo del elemento trivalente haga una flecha apuntando hacia la base de la vela. Escriba ahora su nombre debajo de la flecha.

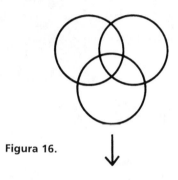

**Figura 16.**

su nombre

Unja la vela con aceite vegetal y hágala rodar sobre lavanda en polvo. Encienda la vela y concéntrese en su llama hasta que su mente se aclare. Después cante:

> Purifica, oh Llama Antigua y ardiente,
> A mi estresada mente.
> Dale paz, calma y tranquilidad.
> ¡Como lo deseo, que se haga verdad!

Deje que la vela se consuma durante quince minutos y después apáguela. Guárdela en un lugar seguro y repita el hechizo una vez a la semana si es necesario.

## ◆ Amuleto contra el estrés

| un saquito o bolsa para amuletos | un trozo de sodalita, uno de malaquita, uno de amatista y uno de calcita anaranjada |
|---|---|
| marcador | una cucharada de lavanda |

Dibuje un símbolo de la paz con el marcador (véase figura 17) sobre el saquito o la bolsa. Ponga la lavanda adentro. Mientras lo hace, cante:

**Lavanda de protección inmensa.**

Añada la sodalita diciendo:

**Sodalita para la psique, su defensa.**

Añada la malaquita diciendo:

**Malaquita, el germen y el retoño.**

Añada la amatista y diga:

**Amatista para calmar todo daño.**

Añada la calcita anaranjada, diciendo:

**Y calcita anaranjada para amplificar.
Unifiquen sus poderes, los voy a mezclar
Para aliviar el estrés y los males mentales,
El corazón palpitante y el mal humor, ¡a todos iguales!**

**Figura 17.**

Cierre el saquito o la bolsa y sujételo fuertemente con su mano dominante. Diga:

> Tráeme paz y alivio calmado.
> ¡Como lo deseo, así que sea sellado!

Lleve consigo el saquito.

## ◆ Té de la tranquilidad

| | |
|---|---|
| 2 cucharadas de ortiga | 1 1/2 cucharaditas de hierba de San Juan |
| 4 1/2 cucharaditas de paja | 1 1/2 cucharaditas de escutelaria de avena |
| 4 1/2 cucharaditas de flor de manzanilla | 1 1/2 cucharaditas de flor de la pasión |
| 1 1/2 cucharaditas de hojas de consuelda | |

Combine bien los ingredientes y ponga tres cucharadas de la mezcla dentro del tazón del filtro de la cafetera. Añada una jarra completa de agua. Mientras el té está listo y se vierte en la jarra, cante:

> Hierbas, combinen su energía
> Y confluyan en armonía
> Para aligerar, calmar y traer paz renovada aquí
> En cada trago que de ustedes tomo para mí.

Beba el té caliente o con hielos. Endúlcelo con miel.

## Éxito

### ◆ Para recibir las bendiciones del Sol

Levántese mucho antes de romper el alba y sírvase un vaso con jugo de naranja. Llévese el jugo a la intemperie y siéntese cómodamente mirando al este. Justo cuando el Sol comience a salir por el horizonte, levante su vaso en saludo y diga:

> ¡Oh Globo de Fuego que se alza tan alto y lindo,
> Por tu nacimiento en un cielo oscuro yo brindo!
> ¡Saludo a tu luz brillante y luminosa
> Y en este día te agradezco mi vida airosa!

Beba un sorbo de jugo, después siéntese y medite sobre las propiedades del Sol y todo lo que aporta a su vida diaria. Observe al Sol mientras surge por completo en el horizonte, después cante:

> Oh, Maestro Luminoso del éxito,
> Brilla sobre mí hoy y bendice esto,
> A mi sueño y metas con poder radiante
> Báñalos con éxito y logro triunfante.

Beba el jugo, envíele un beso con la mano al Sol e incorpórese a su vida diaria.

## Éxito en los negocios

### ◆ Hechizo de albahaca

| | |
|---|---|
| una maceta | semillas de albahaca |
| tierra negra | agua |
| 9 monedas de cobre de igual denominación | |

Llene la maceta hasta la mitad con la tierra. Moviéndose en dirección de las manecillas del reloj, forme un círculo con las monedas (póngalas una por una) sobre la superficie de la tierra. Al poner cada moneda, diga:

¡Dinero, crece!, une tu fuerza, da ingreso,
Atrae nuevas riquezas con este proceso.

Cubra las monedas con más tierra hasta llenar la maceta. Plante nueve semillas de albahaca y con cada una cante:

Semilla de albahaca, mientras brotas y creces,
Mi negocio prosperará todas las veces.

Riegue bien las semillas y coloque la maceta en la habitación donde se efectúen la mayoría de sus transacciones en efectivo. Rodee la maceta con ambas manos y diga:

Cobre, tierra y semillas, los encanto,
Serán una planta de dinero que, en tanto
Crece frondosa, traerá dinero y el éxito deseado.
¡Como lo pido, así que quede sellado!

Conforme la planta crezca, crecerá su negocio.

## ◆ Hechizo para fomentar la cooperación en un negocio

| una vela color naranja | aceite para el éxito (véase receta en el capítulo tres) |
| lapislázuli | |

Use la piedra para tallar en la vela lo más parecido a una telaraña. Continuando con el tallado, haga un pentagrama sobre la telaraña. Si tiene en mente un proyecto en particular, trácelo también en la vela. Unja ésta con el aceite y enciéndala. Cante:

Cooperación, ven a mí.
Disidencia, aléjate de aquí.
Que todos laboren bien y unidos
Hasta que los trabajos estén concluidos.

Ponga la piedra sobre el altar y deje que la vela se consuma completamente. Llévese la piedra al trabajo y colóquela en un lugar seguro.

◆ **Hechizo de sándalo para una propuesta de negocios**

Antes de empezar a trabajar en una propuesta de negocios, invoque a Sarasvati cantando:

Te pido, Sarasvati, la Elocuente,
Atiende este proyecto que tengo en mente.
Atiende sus palabras, cada frase.
Hazlo perfecto, en cada fase.
Hazlo tan claro como pueda ser,
Sarasvati, ¡escucha mi súplica, gran mujer!

Desarrolle la propuesta y póngala en el altar por la mañana de un miércoles. Encienda incienso de sándalo y pase el documento por el humo, diciendo:

Sarasvati, escucha mi súplica, lo merezco,
Bendice este trabajo que ahora te ofrezco.

Con su saliva, marque un pentagrama atrás de cada página. Voltee la propuesta boca arriba y déjela sobre el altar.

El jueves por la mañana ponga la propuesta dentro de un sobre y déjela lista para enviarla por correo. Marque un pentagrama con su saliva en la parte posterior del sobre y diga:

Júpiter, ven y haz un esfuerzo leal,
Otorga a esta propuesta un éxito real.

Ponga la propuesta en el correo.

### ◆ Amuleto contra decisiones erróneas

Para evitar decisiones de negocios erróneas, tenga una raíz de cebolla albarrana en su oficina o en el cajón de su escritorio.

### ◆ Lavado para la atracción de negocios

un frasco con tapa de rosca    1/2 litro de agua
1/2 taza de albahaca

Coloque la albahaca en el frasco, añada el agua y ciérrelo muy bien. Ponga la mezcla en una ventana soleada durante tres días. Al llegar el cuarto día, rocíe el agua en la puerta principal, en el área de la caja registradora y a lo largo de los pasillos de mercancías. Esto no sólo atrae clientes sino que mantiene alejados a los vándalos y a los ladrones.

---

## Fertilidad

### ◆ Hechizo del árbol

bolígrafo y papel    agua
9 varas de fertilizante

En un pedazo de papel, escriba su petición para lograr la fertilidad. (**Nota:** es muy importante ser específico al redactarla. Las peticiones ambiguas pueden causar un conflicto en otras áreas que quisiera mantener intactas o la fertilización de las mismas.) Envuelva una de las varas con el papel y plántela en la base de un árbol, lo más cercana al este. Mientras vuelve a tapar el hoyo que cavó, cante:

Ahora mi amigo te fertilizo,
La esterilidad acabo con este hechizo.
Mientras tú te alimentas de este fertilizante,
Concede mi petición con tu poder imperante.
Trae lo que pido, que sea verdad,
Abundancia exuberante y fertilidad.

Introduzca el resto de las varas en la tierra alrededor del árbol y en el sentido de las manecillas del reloj, diciendo cada vez:

Abundancia, plenitud, fertilidad, ¡vengan aquí!,
Mientras ustedes se nutren el hecho se cumple en mí.

Riegue el árbol, dele un abrazo y agradézcale su ayuda.

## Fuerza

### ◆ Amuleto para la fortaleza interna

Cargue de energía una bellota con el siguiente canto y llévela consigo en tiempos difíciles.

Pequeña semilla de cáscara fina,
Concédeme tu fuerza divina.
Hazme como a tu árbol, fuerte.
¡Como lo deseo, que así sea hasta la muerte!

### ◆ Canto para la fuerza física

Hércules, Hijo de Zeus, mitad humano y mitad Dios,
Por favor desata, tú, que eres dos,
Y otórgame tu magnífica fortaleza
Para que desempeñar pueda esta empresa.

Concédeme ahora tus nervios de acero templado,
Tu fuerza física para abatir este sufrimiento pesado,
Y así con éxito poder completar
Esta tarea que debo enfrentar.

## Guerra

### ◆ Oración protectora para soldados o para aquellos que van a luchar

Dioses y Diosas de la Lucha, Grandes Antiguos,
Ares, Eris, Atenea, Marte y Sol, amigos,
Concédanme su protección mientras me encuentre
En las peligrosas zonas de la batalla, al frente.
Concédanme su agilidad y velocidad
Y sus habilidades diestras; guíenme con dignidad.
Vigílenme mientras lucho valientemente,
Dótenme con Su poder y fortaleza patente.
¡Oh antiguos Guerreros, escuchen mi ruego!
¡Desenvainen sus espadas y protéjanme luego!

## Habilidad mental

(Para hechizos relacionados, véase "Conocimiento".)

### ◆ Baño para la expansión de la capacidad mental

Este baño beneficia en especial a estudiantes y a aquellos que necesiten recordar todos los hechos y cifras relevantes de su vida. Para mejores resultados, tómelo una vez por semana durante un mes.

Coloque nueve avellanas sin cáscara en el filtro de la cafetera. Añada nueve tazas de agua y deje hervir. Prepare un baño caliente y viértale el té. Mientras lo hace, invoque a Mnemosina, la antigua Musa de la Memoria, cantando:

Mnemosina, haz espacio para más
Información; ayúdame a almacenar con facilidad
Toda información en esta entidad.
¡Como lo deseo, así que sea en verdad!

Remójese en la tina por nueve minutos. Mientras lo hace, sumérjase en el agua nueve veces. Salga de la tina y deje que su cuerpo se seque solo.

## ◆ Ayuda para almacenar información

Los cristales de cuarzo transparente almacenan la información fácilmente. Disponga uno que sea de ayuda para la habilidad mental, después toque su frente con él cada vez que necesite fortalecer su poder mental.

## ◆ Para aclarar la mente

Llevar consigo una raíz de lirio acuático ayuda a aclarar la mente y a mantenerla libre de estrés.

# Habilidades psíquicas ───────────────

## ◆ Té psíquico

Beba este té durante trabajos psíquicos o de adivinación.

| | |
|---|---|
| una cucharadita de canela | una cucharadita de pétalos de rosa |
| 3 cucharaditas de artemisa | una cucharadita de milenaria |

Combine todos los ingredientes. Agregue una cucharada de la mezcla por cada taza de agua hirviendo. Mientras reposa, cante sobre el té:

Té del más rico poder psíquico,
Dame elevada conciencia, te suplico,
Tráeme las visiones que debo ver.
¡Como lo deseo, que así empiece a suceder!

## ◆ Para buscar la verdad

La obsidiana es conocida en muchos círculos como "la piedra de la verdad". Se usa para la meditación porque ayuda al desarrollo psíquico. Sin embargo, prepárese para lo que pueda descubrir. Las energías de esta piedra tienden a revelar todas las verdades, aun aquellas que usted no desea ver.

## ◆ Para recibir mensajes psíquicos

Para abrir un vórtice a través del cual puedan fluir fácilmente los mensajes psíquicos, ate un manojo de artemisa con listones púrpuras y blancos y cuélguelo en su área de trabajo de magia. Como alternativa, queme artemisa seca en dicha área una vez a la semana.

_____ **Hábitos**

## ◆ Hechizo para erradicar los malos hábitos

| | |
|---|---|
| incienso "Tomo las riendas de mi vida nuevamente" (véase la sección de recetas del capítulo tres) | una vela negra |
| un recipiente a prueba de fuego | aceite "Tomo las riendas de mi vida nuevamente" (puede sustituirse con aceite vegetal) |
| papel y bolígrafo | |

Realice este hechizo cuando haya Luna menguante. Ponga el incienso en el recipiente y enciéndalo. Haga una lista de todos sus malos hábitos y luego escriba en la vela símbolos de éstos. Unja la vela con el aceite y ruédela sobre un poco de incienso. Enciéndala y diga:

> Hábitos, derrítanse como esta cera.
> Aléjense de mí en este instante, sin dejar huella.

Rompa la lista en pedazos pequeños y arrójelos unos cuantos a la vez al incienso ardiendo. Mientras se queman, diga:

> Aléjense, malos hábitos; con Fuego los purgo,
> De mi vida no pueden surgir más, lo juro.
> Reducidos a cenizas y luego a polvo tomo su poder.
> ¡Váyanse! ¡Tienen que irse lejos de mi ser!

Cuando el papel se reduzca a cenizas, espárzalas al viento, lanzándolas hacia el este, el sur, el oeste y el norte.

### ◆ Para mantener los malos hábitos alejados

Llevar consigo una hoja de salvia evita que los malos hábitos regresen a usted.

## Hambre

### ◆ Hechizo de invierno contra la hambruna mundial

| | |
|---|---|
| papel encerado | una cuchara grande |
| un bote grande de mantequilla de maní | un cuchillo |
| una bolsa pequeña de alpiste silvestre | una aguja de estambre |

un tazón grande para    un listón o estambre verde
microondas    delgado

Cubra el área de trabajo con papel encerado. Vacíe la mantequilla de maní en el tazón. Métalo al horno de microondas por un minuto, cuidando y revolviendo la mantequilla cada 20 segundos. Sáquelo e integre el alpiste añadiéndolo poco a poco. Continúe integrando alpiste hasta que la mezcla se espese.

Coloque la "masa" sobre el papel encerado y forme un rectángulo de aproximadamente 1.5 centímetros de grosor. Envuélvala con el papel y métala al congelador una hora.

Después de ese tiempo, la masa estará lista para ser cortada fácilmente. (De lo contrario, devuélvala al congelador y revísela cada 15 o 20 minutos.) Córtela en cubos de 5 centímetros.

Ensarte el listón o estambre en la aguja. Pase ésta por el centro superior del cubo y luego corte el listón, dejando un largo de 20 centímetros. Continúe con el proceso hasta que cada cubo tenga un listón atravesado. Regrese los cubos al congelador y déjelos ahí 24 horas.

Al día siguiente, saque los cubos y átelos a las ramas de los árboles para que los pájaros se los coman. Cuando haya atado el último, extienda los brazos hacia arriba y cántele al Sol y al cielo:

Doy a los pájaros un festín sin igual,
Los nutro con alimento real,
Y en tanto que ellos encuentran el botín,
Mis hermanos humanos también comerán por fin.
Elimina la hambruna de toda vida, hazla desvanecer,
Para que tus hijos humanos puedan crecer.
Dales suficiente… sácialos,
De comida nutritiva, dótalos.
Extermina la hambruna, debe morir,
¡Lo deseo por el Sol y el cielo! ¡No deben sufrir!

## Hogar

### ◆ Hechizo para poseer la casa que usted desea

| | |
|---|---|
| una vela blanca | sal |
| una vela roja | una pertenencia de adentro y de afuera de la casa |
| aceite vegetal | una pertenencia personal (como un mechón de cabello o una uña) |
| incienso del deseo (véase la sección de recetas del capítulo tres) | una moneda de cinco centavos |
| un bolígrafo | romero (si es usted mujer) |
| una caja blanca pequeña (por ejemplo, la caja de una taza, cubierta de papel blanco) | hierba de San Juan (si usted es hombre) |
| agua | |

Primero, elija la casa que desea poseer. Obtenga una pertenencia del perímetro interno. Casi cualquier cosa puede servir —un pedazo de alfombra, una cáscara de pintura, un pedazo de papel tapiz, polvo del suelo—, siempre y cuando provenga de la parte interna de la casa. Consiga también una pertenencia de la propiedad externa: una hoja de pasto, una pequeña piedra o una vara.

Llévese los objetos a su casa y junte el material. Encienda la vela blanca y convoque a los buenos espíritus y a las influencias positivas, cantando algo como:

¡Buenos espíritus, despierten! Háganse presentes, por favor;
Presten a este hechizo su experiencia con fervor.

Unja la vela roja con el aceite y envuélvala con un poco de incienso. Esta vela representa el corazón del hogar que desea. Enciéndala y cante:

> Me uno a ti, corazón del hogar.
> Somos uno, ya no dos, ¡qué bienestar!
> Yo te pertenezco y tú a mí,
> No pierdas tiempo y ven al fin.

Encienda el incienso. Escriba su nombre en los cuatro costados de la caja, ábrala y sosténgala con las manos. Pásela por encima del humo del incienso y sobre la llama de la vela blanca. Ponga en ella unas gotas de agua y una pizca de sal. Diga lo siguiente:

> Por la aleta y la pluma, la escama y la piel, ahora
> Cambios de vivienda ocurren a partir de esta hora.
> Tráiganme el hogar que quiero poseer
> Y no permitan el paso a problemas que puedan crecer.

Coloque las pertenencias de la casa dentro de la caja y diga:

> Te ofrezco estas piezas de la casa y propiedad que deseo
> Para que la hagas mía sin mayor titubeo.

Meta ahora sus pertenencias personales y diga:

> Ahora también ofrezco algo de mí
> Para que se establezca un lazo entre nosotros, así.

Coloque la moneda dentro de la caja y diga:

> Problemas de dinero ahora
> Entre nosotros no habrá. ¡Que así sea, ya!

Rocíe el interior de la caja con la hierba que le corresponda según su sexo. Cierre la caja y selle todas las aberturas y orillas con la cera goteada por la vela roja. Una vez sellada, colóquela entre las velas y diga:

> Trae esta casa a mi posesión,
> Rápidamente, ahora, sin cuestión.
> Así que tráela pronto a mí.
> La reclamo mía por el Sol y la Luna, así.

Deje que las velas se consuman completamente.

Una vez que la casa sea suya, entierre la caja tan cerca de la entrada principal como le sea posible.

### ◆ Bendición para el hogar

Si es posible, efectúe este ritual antes de mudar cualquier artículo personal a esa casa. (Esto no tiene nada que ver con la eficacia del ritual, pero es más fácil bendecirla sin muebles u objetos personales en el camino.)

> incienso de sándalo     un recipiente con agua
> una vela blanca     un salero con sal

Junte los materiales y sitúelos en el centro de la casa. Lleve el incienso al muro frontal este y enciéndalo diciendo:

> Aire con humo, ahora sopla fuera de aquí
> Toda energía desagradable con frenesí.

Vaya a lo largo de cada muro de la casa y diga el canto cada vez que entre en una habitación. Deje el incienso en la habitación central.

Procediendo como se describió antes, lleve la vela al muro frontal sur. Encienda la vela y diga:

> Llama de la vela que oscila brillante,
> Quema la energía negativa con tu luz radiante.

Lleve el recipiente al muro oeste. Rocíelo todo con el agua y cante:

> Agua, lava y limpia con minuciosidad
> esta casa de toda suciedad y negatividad.

Lleve el salero al muro norte. Rocíe la sal y diga:

> Sal de la Tierra, tan fértil y pura,
> Contra toda energía negativa a esta casa asegura.

Párese en el centro de la casa, separe las piernas ligeramente y extienda los brazos como si fuera a abrazar el cielo. Mientras lo hace, cante:

> Dios(a) de la casa y el hogar,
> ¡Bendice estas paredes y da calidez a este lugar!
> ¡Bendice el techo, el suelo y cada ventana!
> ¡Trae júbilo a aquellos que agracian mi entrada!
> Concede a cualquiera de aquí alivio del dolor,
> De la tristeza y del temor.
> Trae descanso y conforta al cansado.
> Apaga su fuego y trae alivio al enojado.
> ¡Dota a esta casa de amor y luz ilimitada
> Y risa, júbilo y la alegría del Sol, tan iluminada!
> Haz de este hogar un lugar feliz,
> Que todos se sientan bienvenidos en este espacio con matiz.
> Y encárgate de que sólo se den buenos menesteres
> Para quienes habitan entre estas paredes.

Deje que la vela y el incienso se consuman; después, meta sus pertenencias.

## ◆ Para eliminar la energía negativa de una casa

Corte una cebolla grande en tantas rebanadas como habitaciones haya en la casa. Coloque cada rebanada en un recipiente y cúbrala con vinagre de sidra; ponga uno de los recipientes en cada habitación. Después de una semana, deshágase del vinagre y las cebollas con agua potable. (También puede usar el basurero para deshacerse de ellos. Si se decide por este método, parta un limón completo en cuatro y arrójelo al basurero después. Esto sella la casa de cualquier negatividad en el futuro.)

## ◆ Para impedir la venta de una casa

Este hechizo es particularmente útil para quienes habitan casas rentadas. Unja las perillas exteriores de las puertas con aceite de pachuli y trace un pequeño pentagrama con el aceite sobre el anuncio de "Se vende". Esto ahuyenta a los compradores potenciales.

## ◆ Para vender una casa

aceite de atracción (véase     un imán
la sección de recetas del
capítulo tres)

Introduzca un imán en la botella del aceite y diga:

Atrae un comprador
Con tu fuego, por favor;
Por medio de un imán y un metal
Procúrame un trato para esta casa ideal.

Deje que la mezcla se asiente durante la noche y después utilícela para marcar un pentagrama en cada esquina del anuncio de "Se vende". Marque también un pentagrama en la perilla de cada puerta y frote algo de aceite en sus umbrales.

### ◆ Para regir un hogar

Para ser el ama de una casa, plante romero cerca de la puerta principal. Para ser el amo de una casa, plante hierba de San Juan.

### ◆ Para atraer la buena suerte

Quemar continuamente una vela blanca en su casa para honrar al "espíritu del hogar" atrae la buena suerte y previene la acumulación de energía negativa.

### ◆ Para mantener su buena suerte

Cuelgue una herradura de caballo, con las puntas hacia el techo, en la puerta principal para impedir que la suerte se le escape.

Imaginación

### ◆ Hechizo de semilla de flor silvestre

En un día con viento, saque al exterior un puñado de semillas de flor silvestre. Sosténgalas en la mano y energícelas con el siguiente canto:

Semillas silvestres, mi mente vengan a liberar,
No permitan que los límites me vayan a amarrar.
Permitan que los sueños surjan con su vuelo.
Déjenlos desarrollarse en nuevas alturas, les ruego.
Y mientras ustedes encuentren dulce la tierra,
Y las raíces y el retoño, el germen y la hoja,
Mi imaginación también crecerá.
¡Como lo deseo, así será!

Después arrójelas al viento diciendo:

Imaginación, vuela con tu cuerpo alado,
Como lo deseo, ¡que así quede sellado!

## ◆ Hechizo de crayones

| | |
|---|---|
| crayones | una bolsa de papel de estraza |
| rallador de queso o sacapuntas manual | plancha para ropa |
| 2 hojas de papel encerado | |

Iniciando con un color que lo atraiga, utilice el rallador o el sacapuntas para rallar el crayón y ponga los pedazos en el centro de una de las hojas de papel encerado. Usando otro color, ralle un poco del crayón sobre el papel, a unos tres centímetros de la primera pila. Continúe haciendo pilas de crayón, colocándolas al azar, hasta que obtenga un número par de pilas y colores.

Cubra las pilas de crayones con la segunda hoja de papel encerado y coloque encima la bolsa de papel. Planche las capas con calor medio. Mientras lo hace, cante:

De la cera derretida y el flujo de los colores
Surge y crece la imaginación, sin dolores.
Toma su curso como un río libre.
Como lo deseo, ¡así que quede, firme!

Quite la bolsa de papel y deje enfriar el cuadro abstracto. Empareje las hojas y cuélguelo en su área de trabajo. Utilícelo como un instrumento para meditar cada vez que sienta que su imaginación disminuye.

Inspiración

◆ **Ritual de inspiración**

| | |
|---|---|
| una vela amarilla | el incienso de su agrado |
| aceite de la creatividad (véase la sección de recetas del capítulo tres) | las siguientes cartas del Tarot: la Estrella, el As de Bastos y el Mago |

o

aceite vegetal y tomillo en polvo

Unja la vela con el aceite de la creatividad o la mezcla de aceite y tomillo. Encienda la vela y el incienso. Sostenga la carta de la Estrella sobre su Tercer Ojo y diga:

¡Musas, escúchenme! Vengan todas las Nueve a brindar
Ayuda para mí en esta situación de prueba, hasta el final,
Y eliminen los bloqueos presentes en mi mente,
Para que pueda encontrar una perspectiva fresca y congruente.

Coloque la carta del lado derecho de la vela. Sostenga el As de Bastos sobre su Tercer Ojo y diga:

Trae ideas donde ahora no hay ningún concepto,
Tráelas; hazlas desarrollarse por completo.
Libérame de esta agravante,
Tráeme algo de inspiración, si puedes, al instante.

Ponga la carta frente a la vela. Sostenga la del Mago frente a su Tercer Ojo y diga:

Las nueve Musas, vengan ya
Y lo que busco ayúdenme a encontrar.
Unidas, con gran rapidez, pónganse a trabajar,
¡Como lo deseo, así se va a sellar!

Coloque esta carta del lado izquierdo de la vela.

Siéntese frente a la vela y observe la llama unos minutos. Aclare su mente, liberándola de toda preocupación y abriéndola a las Musas. Deje que se consuma por completo.

◆ **Para la inspiración**

Cargue de energía una calcita anaranjada utilizando el siguiente canto:

Pequeña piedra, deseo que inspires, por favor
La perspectiva que requiero con fervor.
Tráeme ideas cuando lo necesite,
¡Como lo deseo, que así sellado quede!

Lleve la piedra con usted y juegue con ella cuando sienta que le falta inspiración.

◆ **Inspiración para escritores**

Frotar papel en blanco (o el teclado de la computadora) con hojas de laurel da inspiración a escritores, autores y poetas.

◆ **Para invitar a las musas**

Amarre un manojo de tomillo con un listón amarillo y cuélguelo sobre su mesa o cerca de su espacio de trabajo. También puede colocar un pequeño plato amarillo con tomillo seco sobre su mesa. Ésta es una invitación perpetua para la intervención de las musas.

——————————————————————————— **Intuición**

## ◆ Hechizo de Luna nueva

Salga la primera noche de Luna nueva y cante este ruego para aumentar sus poderes intuitivos:

> Vacío de tinieblas, noche más oscura,
> Regida por la Hechicera del Poder y la Fuerza pura,
> Empuja mis instintos hacia el nacimiento,
> Para que la intuición crezca momento a momento.

Después, a la hora de irse a la cama, oscurezca su habitación totalmente. Cierre las cortinas, apague todas las luces y métase a la cama. Cúbrase los ojos y diga:

> Bruja de la Oscuridad, ven a mí
> Y permíteme sentir aquello que es invisible, aquí.

Repita este hechizo todas las noches hasta la primera aparición de la Luna en el cielo.

——————————————————————————— **Ira**

## ◆ Baño para calmar la ira

| | |
|---|---|
| 12 onzas de cerveza | aceite de almendras |
| una vela azul claro | incienso para tranquilidad y protección (véase sección de recetas del capítulo tres) |

Vierta la cerveza en la tina conforme la llena de agua caliente. Unja la vela con aceite de almendras; encienda la vela y el incienso. Antes de meterse a la tina, inhale profundamente. Exhale. Concentrándose en el color de la vela, diga:

> Ira, yo te ordeno: ¡vete de aquí!;
> Poder tranquilizante, fluye a través de mí.

Acuéstese en la tina y sumérjase en el agua por completo cinco veces. En cada inmersión, concéntrese en que el agua desprenda la ira de usted. Éste también es un baño idóneo para la limpieza de chakras.

## ◆ Té para mitigar la ira

Este té funciona tanto para atenuar la ira como para malestares asociados con el síndrome premenstrual. La mezcla es de duración indefinida si se guarda en un frasco con tapa de rosca.

| | |
|---|---|
| 2 cucharadas soperas de nébeda | 2 cucharadas soperas de toronjil |
| 5 cucharadas soperas de manzanilla | 4 cucharadas soperas de lavanda |
| 3 cucharadas soperas de pétalos de rosa | 1 1/2 cucharadas de verbena |

Mezcle los ingredientes a conciencia. Utilice dos cucharadas soperas de té por cada taza de agua. En tanto el té se asienta, cante:

> Ira fogosa, apártate de mí.
> Tranquilidad, ven y conmigo quédate así.
> Tranquiliza mi mente para que pueda pensar,
> Que con este brebaje la paz mental pueda imperar.

Endulce el té con miel si así lo desea.

### ◆ Para liberarse de la ira

Añada tres cucharadas soperas de hoja de menta a una taza de agua hirviendo. Deje que el té se asiente seis minutos e inhale el vapor mientras el té se fortalece. Cuele, endulce con miel y cante lo siguiente sobre la taza:

Enfría mi ira, hierba de menta.
Miel, endulza mi intención, contenta.
Te pido que cambies mi actitud para que avance,
Mantén el calor del temperamento fuera de alcance.

Tome el té y sienta cómo se evapora su ira.

### ◆ Para disolver la ira de alguien hacia usted

Cuando alguien esté enojado con usted, visualice en el pecho de la persona un corazón rosa. Divídalo en cuatro secciones iguales y mentalmente elimine la parte del cuadrante inferior derecho. Mantenga esta imagen en su mente por un tiempo. Esto disipará la ira y hará espacio para entablar una discusión razonable.

### ◆ Protección contra la ira

Para protegerse contra las fuerzas destructivas de la ira de otra persona, esparza polvo de pasionaria en el umbral de su puerta principal.

## Jardinería

### ◆ Hechizo para bendecir un jardín primaveral

| | |
|---|---|
| un litro de leche | semillas o plantas de jardín |
| 1/2 taza de miel | 2 estacas o palos por cada fila en el jardín |
| un recipiente de 2 litros | listones de color pastel (uno por cada estaca) |

una pequeña rama de
árbol o arbusto con hojas
y retoños recién brotados

Tome todos los materiales y llévelos al jardín. Mezcle la leche y la miel y vierta la mezcla en el recipiente. Métale la rama y póngalo a un lado.

Clave una estaca en el suelo, al inicio y al final de cada fila; después siembre las semillas o plantas. Ate un moño con el listón en cada estaca, diciendo a las semillas y plantas de la fila:

Amor perfecto a ti te doy,
Brota y florece con nueva vida hoy.

Tome el recipiente y, utilizando la rama, rocíe el jardín con la leche y la miel. Conságrelo diciendo:

Leche y miel, fluyan por este lugar;
Fertilicen cada semilla y germen sin parar.
Virgen, Hombre Verde, dancen y jueguen,
Cada día aquí giren, rían y canten.
Traigan el crecimiento verde y exuberante
A este sitio vengan, mirando siempre adelante.

Riegue bien el jardín y atienda sus necesidades diariamente.

## ◆ Hechizo para plantar bulbos de otoño

Lleve los bulbos al jardín y plántelos en la tierra mientras canta:

¡Las Estaciones cambian, la Rueda gira!
Bulbos, los planto en la tierra.
Bulbos aparentemente muertos, cobrarán nueva vida,
Y en la Primavera, brotarán y florecerán.

Mientras los cubre de tierra, cante:

> Diosa Virgen, danza y juega con alegría
> Sobre este terreno hasta el final del día.
> Sabia Hechicera, tan rugosa y anciana,
> Produce misterios en la noche fría.
> Madre Diosa, dales vida bella
> Para que germinen sobre la Tierra.
> Y permite que florezcan hermosos
> Mientras la Rueda gira con estos colosos.

Riéguelos bien y repita el canto anterior una vez al día hasta que brote el primer bulbo.

## ◆ Para propiciar el crecimiento

Plante cristales de cuarzo o un ágata de pantano en el centro de cualquier tipo de jardín para propiciar un crecimiento exuberante y una cosecha abundante.

## ◆ Para proteger el jardín de animales

Para impedir que los conejos y otros animales se coman los frutos de su cosecha, rellene pedazos de pantimedias viejas con cabello humano. Mientras lo hace, cante:

> Aleja la vida silvestre de este jardín
> Para que florezca con gracia sin fin.

Ate nudos en ambos extremos de los pedazos de media, formando así saquitos, y colóquelos en todas las esquinas del jardín. Los animales que se alimentan de vegetales no traspasarán el área.

### ◆ Uso de energía lunar para jardines mágicos

Entre la Luna nueva y la Luna creciente, plante cultivos que broten del suelo y que se puedan reproducir por sí solos.

Si brotan del suelo y producen semillas en vaina, plántelos entre la Luna creciente y la Luna llena.

Si crecen por debajo de la superficie (cultivos de raíz, bulbos), plántelos durante la Luna llena y la Luna menguante.

Utilice el periodo entre la Luna menguante y la Luna nueva para desyerbar y cosechar.

## Juicio

### ◆ Canto de hechiceras para el buen juicio

Hechicera anciana, abuela sabia, que además
Estás llena de sabiduría como nadie más,
Ayúdame a sopesar las alternativas con precisión,
Para así tomar una buena y justa decisión.
Muéstrame lo que tengo que ver,
Arroja algo de luz sobre lo que debería ser.
Y si llegara a dejar de escuchar,
Ayúdame a oír a otros hablar.
Ayúdame a sentir lo que debo saber.
Muéstrame qué dirección tomar y guíame en lo que debo hacer.
Esto, Anciana Arpía, será tu quehacer.

## Justicia

El siguiente canto trae justicia rápida para aquellos que lo han tratado injustamente. Sin embargo, tenga precaución al usarlo, en especial si usted también se ha portado de forma inapropiada. La justicia de Hécate no conoce límites; ella se encarga de que todos los involucrados obtengan justo lo que se merecen.

### ◆ Canto a Hécate

Hécate, la de Las Oscuridades, escucha mi oración.
¡Imparte justicia ahora, te lo pido de corazón!
Enmienda los males que me han sido infligidos,
Véngame ahora, oh Gran Poderosa, no los dejes confundidos.
Dirige la desgracia hacia todos aquellos que sin chistar
Mis problemas y mis aflicciones vienen a provocar.
Y propínales deudas kármicas sin restricciones,
Que no olviden demasiado pronto sus érroneas acciones.
No permitas que se salgan con la suya libremente,
Haz surgir de donde se esconde a esa gente indecente.
Trae justicia rápida y afila tu daga.
Apresúrate, Tú, la de Las Oscuridades, escucha mi plegaria,
Haz lo que pido de ti, Gran Dama Adorada.

## Liberación

### ◆ Canto de Líber para la liberación

Diosa Felina, Bestia de Tipo Gatuno,
Dame lo que necesito en tiempo oportuno.
Rasga el nudo mental que me ata,
Trae independencia a mi mente, Diosa Gata.
Rasga las cuerdas que me tienen amarrado,
Trae liberación a mi vida, gran ser amado.
Ayúdame a deshacerme del pasado.
Ayúdame a vivir en la verdad, en este tiempo renovado.
Líber, esto es lo que te pido, hazlo con agrado.

## ◆ Hechizo para obtener libertad personal

Consiga una reata o cuerda de 36 centímetros de largo. Un día antes de la Luna nueva, hágale tantos nudos como le sea posible. Al llegar la noche de la Luna nueva, saque la cuerda y comience a deshacer los nudos. Conforme desata cada uno, diga:

> Las ataduras no me pueden dominar.
> Pido a La más Oscura que me venga a liberar.

Cuando la cuerda ya no tenga nudos, entiérrela, dejando unos tres centímetros de la punta fuera de la tierra como símbolo de su libertad.

## Liderazgo

### ◆ Oración para las habilidades de un buen liderazgo

> Líderes de los Ancianos,
> Dioses y Diosas del Sol y la Luna,
> Ayúdenme mientras me abro brecha, una a una,
> A lo largo del sendero del liderazgo en este día.
> Concédanme que sea benévolo y justo, con alegría.
> Un líder de confianza para los que están a su cargo,
> Concédanme ser fuerte pero gentil, no amargo.
> No permitan que la gloria mis ojos ciegue.
> Ayúdenme a obrar para beneficio de todos, y que éste llegue
> Tomando decisiones tajantes y llamados de juicio.
> Les pido, enséñenme cómo liderear sin artificio.
> ¡Como lo deseo, así que sea sellado!

―――――――――――――――――――――― **Lujuria**

## ◆ Amuleto para atraer la lujuria a su recámara

un lápiz    clavos enteros

una manzana    4 mondadientes

Con el lápiz, dibuje un círculo en un lado de la manzana. Trace una línea vertical hacia abajo desde el centro de la base del círculo. Cruce la línea vertical por la mitad con una línea horizontal corta. Esto forma el ankh o símbolo femenino. Dibuje una línea diagonal desde la orilla derecha del círculo, que se origine en el punto entre la orilla superior central y la central derecha. Marque el final de esa línea con una flecha. Esto forma el símbolo masculino. En la figura 18 se muestra cómo deberán verse los símbolos.

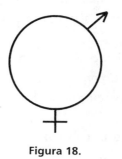

**Figura 18.**

Introduzca los clavos en la manzana a lo largo de las líneas trazadas por el lápiz, empezando con la cruz. Mientras lo hace, cante:

Con este clavo, Virgen Primordial,
Vive y crece el deseo carnal.

Rodee la flecha con clavos y diga:

Dios robusto de pezuña y cuernos,
La lujuria ha nacido con esta flecha de clavos.

Ahora delinee el círculo con los clavos en el sentido de las manecillas del reloj mientras canta:

Círculo externo, círculo interno,
Comprendidos en ti lo masculino y femenino.
Esta hierba penetra y se queda fuera a la vez,
Deseos carnales fluyen por doquier
Tocando a todos aquellos dentro de este espacio
Con poderes que no pueden rehuir, ni rápido ni despacio.
Clavo y manzana, desaten la lujuria,
Como lo deseo, ¡que así sea sin furia!

Introduzca los mondadientes en el centro de la base de la manzana para formar una plataforma. Coloque el amuleto sobre la cabecera de su cama o en la cornisa de una ventana de su dormitorio.

## ◆ Pócima de fuego de la lujuria

| | |
|---|---|
| una onza de bourbon (whisky) | jugo de naranja |
| una onza de vodka | una pizca de pimienta de Jamaica |
| 3 onzas de ginebra de endrino | |

Vierta el bourbon, el vodka y la ginebra (en ese orden) en un vaso largo con hielo. Llénelo con el jugo y añada la pimienta. Mientras agita, cante:

Fuego del amor carnal y fuego de la pasión,
Traigan a mí algo de satisfacción.
Deseo, amor carnal desenfrenado,
Tráeme ahora lo que requiero con agrado.

Comparta la bebida con la persona a la que desea.

### ◆ Para fomentar la lujuria

Para fomentar una atmósfera de lujuria en su dormitorio, ate un ramillete de muérdago de bayas blancas con un listón rojo y cuélguelo sobre su cama. Añada también una pizca de pimienta de Jamaica, una de canela y una de clavo al agua con la que enjuague sus sábanas.

---

## Magia

### ◆ Pulsera de tobillo para aumentar el poder mágico

| | |
|---|---|
| una madeja de hilo para bordar color púrpura | canela |
| 8 madejas de hilo para bordar en otros colores | pachuli |
| una vela púrpura | salvia |
| aceite vegetal | |

Lleve el hilo para bordar a un sitio confortable donde nadie lo moleste. Tome las puntas de cada una de las madejas en la mano y júntelas haciendo un solo "mechón". Para determinar el largo apropiado, enrolle holgadamente tres veces el mechón en su tobillo y corte. Haga un nudo con todos los hilos dejando aproximadamente seis centímetros al final de las puntas.

Divida el mechón en tres partes de tres hilos cada una. Mientras se concentra en que el poder mágico crece en su interior, tréncelas y cante:

> Mientras trenzo, mi magia crece, con bondad.
> Tejo un hechizo para hacer esto realidad.
> Cada cruce del hilo intensifica
> La magia que en mí radica.

Continúe trenzando y cantando hasta que tenga una trenza de seis centímetros. Haga un nudo con los nueve mechones.

Unja la vela con el aceite y ruédela sobre la mezcla de salvia, pachuli y canela. Coloque la pieza trenzada frente a ella, enciéndala y diga:

> Vela, arde y añade poder
> A este amuleto con cada hora que ha de suceder.

Deje el amuleto ahí hasta que la vela se consuma por completo. Amarre la trenza alrededor de su tobillo por lo menos dos veces (tres si es posible) y asegúrela con un nudo derecho. Use la pulsera constantemente. Cuando sienta que necesita una nueva, repita el ritual; luego, corte la anterior y entiérrela.

### ◆ Amuleto de ópalo negro

En muchos sitios al ópalo negro se le conoce como la "Piedra de las Brujas" y se le valora por sus propiedades para impulsar la magia. Para incrementar su poder mágico, cargue de energía esta piedra con el siguiente canto y colóquela en su altar antes de iniciar cualquier trabajo de magia.

> Ópalo negro de fuego candente,
> Añade el poder que requiero de tu fuente
> Para hacer de mi magia un derroche
> Durante la luz del día o la oscuridad de la noche.

## Mascotas

### ◆ Bendición protectora para perros

Diana, Diosa de la Fauna,
De perros fieros y mansos la Guardiana,
Mantén a (*nombre del perro*) a salvo en tu rebaño
Y protege a esta criatura de todo daño.
Y si se diera el día en que se perdiera por ahí,
Guíale de regreso a su hogar, que está aquí.
Bendice a (*nombre del perro*) con una vida dichosa,
Libre de estrés, sufrimiento y penuria dolorosa.

### ◆ Bendición protectora para gatos

Líber de belleza y gracia divina,
Protectora de la raza felina,
Escuda a (*nombre del gato*) de toda herida y daño
Y mantenle siempre a salvo en tu rebaño.
Cuida a (*nombre del gato*) cada día,
Y guíale a su hogar, si se extravía.
Concédele alegría y felicidad
Y una vida libre de estrés y enfermedad.

### ◆ Para mantener a las pulgas alejadas de perros y gatos

Prepare un baño contra pulgas mezclando una cucharada de poleo o menta de campo en polvo y otra de veneno para pulgas por cada taza de agua hirviendo. Cárguelo de energía utilizando el canto de Polvo para cama y casa (siguiente receta). Enfríe a temperatura ambiente antes de bañar al animal. (**Precaución:** el poleo o menta de campo puede ser peligroso para mujeres embarazadas. Si alguien de su casa lo está, evite el hechizo.)

## ◆ Polvo para cama y casa

Mezcle bien una taza de poleo o menta de campo en polvo y otra de veneno para pulgas. Cargue de energía el polvo con el siguiente canto:

> Hierbas calmantes, menta refrescante,
> Alerten a toda pulga en este instante:
> ¡Aléjense! ¡Aléjense de este lugar!
> Si no, la Muerte se las va a llevar.

Esparza el polvo por la casa y sobre el lecho de su mascota. (**Precaución:** el poleo o menta de campo puede ser peligroso para mujeres embarazadas. Si alguien de su casa lo está, evite el hechizo.)

## ◆ Protección psíquica para mascotas

Colgar un anillo con hematita del collar de su perro o gato lo protegerá de cualquier agravio psíquico.

## ◆ Bendición protectora para peces

> Oh, Diosa con cola de pez, Melusina,
> La de las Profundidades del Agua cristalina,
> Protege a mis peces y mantenlos a salvo, tú, ser benigno,
> De hongos, heridas y todo destino maligno.
> Libéralos de toda enfermedad
> Y déjalos nadar con gracia y facilidad.
> Bendícelos con tu cuidado y amabilidad,
> Cuídalos, Melusina, escucha mi plegaria con claridad.

## ◆ Para curar a un pez

Para curar heridas o estrías rojas en las aletas de sus peces, añada una cucharada de sal energizada por cada 18 litros de agua en la pecera. (¡No se preocupe, es perfectamente seguro para peces tropicales de agua dulce!)

Cargue de energía la sal cantando:

Sal que cura y trae nueva vida,
Sana a mis peces de toda herida.

◆ **Bendición protectora para aves**

Rhiannon, agita tus alas y ponte a volar,
A (*nombre de la mascota*) una vida feliz debes dar.
Protégele en su vuelo alegre
Todo el día, y hasta que la noche llegue.
Envuélvele en tus alas con seguridad
Y dale canciones alegres para cantar.

◆ **Para proteger a las aves de los gatos**

Atar ruda o lavanda a la jaula de su ave la protegerá del ataque de felinos.

◆ **Bendición protectora para tortugas**

Atenea, Guerrera, gran Poderosa,
Bendice a (*nombre de la mascota*) bajo el Sol y la Luna hermosa.
Haz que su concha, como coraza, sea fuerte
Para protegerse bien toda su vida, y dale buena suerte.
Protégele con tu espada poderosa,
Concédele una vida llena de placer y gozosa.
Permítele que acorde a su ritmo pueda vivir
Y, sin temor a apuros o carreras, su camino seguir.

◆ **Bendición protectora para gerbos, ratas y ratones**

Rea, diosa de los animales salvajes, te conjuro,
Bendice a (*nombre de la mascota*), mi crío peludo.
Deja que su vida sea plena de juego

Y felicidad día con día, te lo ruego.
Mantenle alejado(a) en la vida de todo daño
Y déjalo(a) vivir como al resto de tu rebaño.
Bendice a (*nombre de la mascota*) con tu cuidado tierno,
Oh, graciosa Rea, escucha mi plegaria desde lo más interno.

### ◆ Bendición protectora de víboras

Medusa de melena ondulante,
Bendice a esta víbora sobre la que reinas triunfante.
Protege a (*nombre de la mascota*) mientras repta sobre
La calidez solar y la frescura lunar, su orbe.
Concede que su vida sea libre de preocupaciones.
¡Como lo deseo, que se selle sin concesiones!

### ◆ Ritual para la muerte o la eutanasia de una mascota

Pocas cosas en esta vida parecen causar tanto dolor como la muerte de una mascota. Y cuando se trata de un caso de eutanasia, el remordimiento es casi insoportable. La culpabilidad toca a la puerta. Los demás fantasmas emocionales también se agolpan esperando su turno para desgarrar al propietario de la mascota.

Este ritual es de gran ayuda para enfrentar los sentimientos de culpa, remordimiento y dolor relacionados con este tipo de muerte. También ayuda a enviar pacíficamente a nuestros amigos animales al otro mundo.

incienso de sándalo    un cuarzo rosa
una vela roja    vinagre
una vela blanca    miel
una flor de su elección

Encienda el incienso y las velas, y salude al Señor y a la Señora diciendo:

Vengo a Ustedes para que me liberen
De este dolor y de las bestias emocionales que me hieren,
Que plagan pesadamente mi corazón.
Llévenselos de mí, ¡por compasión!

Dele a la flor el nombre de su mascota. Tómela con la mano, acaricie sus pétalos y háblele con amor y honestidad. Si la causa fue eutanasia, explíquele las razones por las que decidió terminar con su ciclo de vida. Si no, ésta es la ocasión apropiada para decirle cuán solo(a) se siente sin ella.

Coloque la flor sobre el altar y acomode el cuarzo sobre ella. Dígale a su mascota que la piedra siempre la representará ante usted y que es libre de pasar al otro mundo para que pueda renacer. Diga:

Eres libre de partir ahora, mi pequeño(a).
Regocíjate y juega, ya es tiempo, llegó la hora
Para que tu espíritu se ponga en camino.
Diviértete, sé feliz, tu amor permanecerá en mi destino.

Medite sobre cómo el espíritu de su mascota emprende el viaje a la tierra del verano; después, ponga una gota de vinagre sobre su lengua para representar la amargura que nos embarga cuando la muerte se lleva a algún ser amado. Tómese un tiempo para lamentar lo que pudo haber sido. (Si todavía no ha llorado bien, éste es el momento adecuado. Grite, reclame y patee si lo necesita, lo importante es que saque todo su dolor.)

Cuando sienta que no puede llorar más, pruebe la miel. Regocíjese y celebre la relación que tuvo con su mascota. Recuerde todos los buenos momentos que pasaron juntos, el amor que compartieron y el lugar especial que ocupó en su vida.

Extinga las velas y agradézcale al Señor y a la Señora por su presencia reconfortante.

Suelte la flor en el agua, ya sea un río o un arroyo. Dele una cariñosa despedida mientras se aleja flotando. Mantenga la piedra cerca de usted o póngala en un lugar seguro.

# Meditación ————————————————————————

### ◆ Ritual de meditación

2 velas azules      aceite de sándalo (aceite vegetal y
polvo de sándalo)

una vela que lo represente
(del color que prefiera)

Este ritual tiene un efecto adecuado en personas a quienes les es difícil aclarar su mente lo suficiente como para entrar en un estado de meditación. También puede usarlo para enriquecer la comunicación con sus Espíritus Guías.

Unja las velas con aceite de sándalo (el cual puede sustituir por aceite vegetal, rodando luego las velas en polvo de sándalo). Durante la unción, visualícese en un estado de trance profundo de meditación.

Coloque las dos velas azules a ambos lados de la vela que lo representa. Encienda las velas azules y cante:

Espíritus Guías, Ser Supremo, ¡escuchen mi ruego!
Vengan ahora y conversen conmigo,
Caminemos juntos y guíenme por
Este velo de trance, por favor.

Ahora encienda su vela y cante:

Estoy rodeado de la paz de la luz, yo digo
Me calma y me protege y trae una nueva visión consigo.

Siéntese o acuéstese en una posición cómoda. Concéntrese en su patrón de respiración. Inhale profundamente y exhale por completo. No fuerce su respiración. Escuche el ritmo. Sienta cómo su cuerpo se relaja. Cierre los ojos y enfoque en el punto entre ellos (su Tercer Ojo).

Visualice los siguientes colores, en orden, uno a la vez: rojo, naranja, amarillo, verde, azul, índigo, púrpura y blanco. Conserve el color en su mente contando hasta cinco y vea cómo se va desvaneciendo en el siguiente color.

Aún enfocado en su Tercer Ojo, "observe" su respiración. Vea cómo se llena y se vacía su pecho conforme el aire fluye hacia adentro y hacia afuera. Vea cómo su pecho se transforma en un océano y el ritmo de su respiración se torna en olas. Aparece una puerta sobre la superficie del agua. Crúcela y visite a sus Espíritus Guías-Ser Supremo. Haga preguntas y confíe en las respuestas. Quédese el tiempo que desee.

Cuando esté listo para regresar al plano mundano, salga por la misma puerta. Vea cómo las olas y el océano se transforman nuevamente en su pecho y su patrón de respiración. Abra los ojos y diga:

**Regreso a la Tierra de nuevo,**
**Gracias, Espíritus, Ser y Amigos.**

Levántese y apague las velas en el orden inverso. Póngalas en un sitio seguro y utilícelas la próxima vez que efectúe este ritual.

### ◆ Para enriquecer la meditación

Si utiliza cartas del Tarot con el propósito de meditar, guarde un pedazo de sodalita junto con ellas. Esto energiza su entorno y crea una atmósfera que propicia la meditación y el trance espiritual.

### ◆ Para aliviar dificultades en la meditación

Si experimenta dificultades para llegar a un estado de meditación, utilice ametrina (la cual puede sustituir con amatista y citrina) como el punto focal. Sostenida antes y durante la meditación, la piedra lo libera de los límites físicos y las inhibiciones que impiden el vuelo al plano astral.

## ◆ Canto para abrir las puertas astrales

Syn, bondadosa Diosa de Puertas y Candados,
Abre las puertas ahora, te lo imploro,
Permíteme pasar a través del velo astral
Con rapidez; concédeme vientos benignos para navegar.
Y cuando haya obtenido aquello que pueda aprender,
Garantízame un regreso a salvo emprender.

## ◆ Para regresar completamente del plano astral

Si tiene dificultades para regresar completamente del plano astral, tenga siempre a la mano un frasco de miel y una cuchara. Cuando alcance ese estado "intermedio", tome una cucharada y volverá a casa en un santiamén.

## Menopausia ─────────────────────────────

## ◆ Hechizo para aliviar los bochornos

2 cucharadas soperas de     miel (opcional)
hierbabuena (molida y seca)
una taza de agua

Coloque la hierbabuena dentro del tazón del filtro de la cafetera eléctrica y añada el agua. Mientras se hace el té, cante:

Té de hierba de menta y especia,
Libérame del bochorno que arrecia,
Corre al sudor nocturno para que huya.
Como lo deseo, ¡que el hechizo fluya!

Endulce con miel el té si lo desea y bébalo.

## ◆ Ritual para la celebración de la menopausia

| | |
|---|---|
| 2 tazas de té de salvia (2 cucharadas de salvia por una taza de agua) | una toalla absorbente o un tampón |
| 90 cm de listón negro de 1.5 cm de ancho | una cuchara, vara o algo con lo que pueda cavar un hoyo |
| aguardiente de hierbabuena | un pendiente de amatista |

**Nota:** si prefiere algo sin alcohol, sustituya el aguardiente de hierbabuena con un caramelo de la misma planta; las diabéticas pueden utilizar té de hierbabuena.

Tome los materiales y vaya a una playa, río o arroyo tranquilo. (Si es necesario improvisar, diríjase a algún sitio a la intemperie y calmado, y vierta un litro de agua sobre la tierra.) Caminando en dirección de las manecillas del reloj, forme un círculo sencillo y márquelo rociando el té de salvia a lo largo de su contorno. Colóquese en el centro con las piernas separadas. Extienda los brazos, eche hacia atrás la cabeza e invoque a la Hechicera con este canto:

> Gran Anciana, Abuela, la Sabia,
> Vieja Hechicera
> Y por todos los nombres con que se te conociera,
> Te invito, ven ahora, ayúdame en esta ocasión festiva
> A encontrar mi auténtica libertad, antes cautiva.

Siéntese en una posición cómoda. Ate el listón alrededor de su frente, como banda. Meta el dedo en el té de salvia y marque con él un pentagrama en el centro de la banda. Diga:

Oh Hechicera que traes añejas bendiciones,
De sabiduría aún no escrita son tus soluciones,
Porto esta banda negra en la cabeza en Tu honor,
Aconséjame en todo lo que haga y guíame, por favor.

Meta nuevamente el dedo en el té y trace un pentagrama en la botella de licor, la taza de té o el caramelo. Tome la bebida o coma el caramelo y diga:

En la oscuridad, tu voz con calma
Entibió mi espíritu y mi alma.
Tú me acogiste y me enseñaste,
Los Misterios de lo antiguo no escatimaste.
Por eso como (bebo) esta hierbabuena en tu honor.
Entibia mi espíritu con sabiduría y sabor
Hasta que mi viaje haya terminado
Y yo por ende haya descansado.

Moje el dedo con el té y marque con él un pentagrama en el tampón o toalla. Cave un hoyo pequeño, entiérrelo y diga:

Mis espasmos tu sonrisa aligeró
Cuando mi sangre lunar se aproximó.
Me prometiste alivio cuando los años hubieran pasado.
Ahora entierro este símbolo en tu honor con agrado.
Te doy mi agradecimiento por tu don,
En tanto que inicio una vida a un nuevo son.

Otra vez moje el dedo con el té y haga un pentagrama sobre la amatista. Cuélguese el pendiente del cuello y diga:

Has traído tranquilidad a mi mente,
A mi cuerpo, alma e inconsciente.
Ahora soy plena; me has conducido para un círculo completar;
Ahora esta piedra en tu honor voy a portar,
Dame fuerza espiritual para que lo que haga pueda lograr.

Levántese y selle el ritual diciendo:

Gran Anciana, Abuela, la Sabia,
Vieja Hechicera
Y por todos los nombres por los que se te conociera,
Para irte o para quedarte eres bienvenida,
Te ofrezco mi gratitud por tu presencia este día.

Yendo en dirección contraria a las manecillas del reloj, deshaga el círculo vertiendo el sobrante del té sobre sus pasos.

## ◆ Ritual de la Hechicera

| | |
|---|---|
| una vela negra o púrpura | una pluma de cuervo (puede sustituirse con cualquier pluma negra si es necesario) |
| salvia seca (para quemar como incienso) | un caldero o recipiente pequeño a prueba de fuego |
| una daga o cuchillo de doble filo | un pequeño trozo de ónix negro, ópalo o amatista |

Durante la Luna nueva, lleve los materiales a un sitio tranquilo. Encienda la vela y la salvia. Medite acerca de la Hechicera, en sus múltiples cualidades y en todas las posibilidades que conlleva su presencia. Después inhale profundamente por la nariz y exhale completamente por la boca. Diga:

Sabia y Anciana, regiamente ordeno y rijo,
Con cetro de hueso y balanza como herramientas dirijo,
Causa y efecto en cada acto cotidiano sopeso
Y las balanzas miden cada despliegue voluntarioso, cada suceso,
Y en cada línea punteada y perenne el karma se mide,
Ya que soy la Señora de Lecciones y Sabiduría Sublime.
Mía es la Sabiduría, y el balance de la vida es sostenido
Por mis manos como un cuchillo de doble filo
Para ser blandido como sea requerido en la muerte y el renacimiento,
En el ciclo del balance y la vida en esta Tierra de crecimiento.
Me incumbe a Mí la vida que es Mía
Pues yo soy la Sabia, la Anciana, la Arpía.

Tome el mango de la daga con ambas manos y, sosteniéndola por encima de la cabeza con la punta hacia el cielo, camine en dirección opuesta a las manecillas del reloj, formando un círculo. Aún blandiendo la daga, baje los brazos y apunte con la hoja hacia el suelo. Diga:

¡Soy el cuchillo de doble filo que trae
Justicia y rectitud, muerte y destrucción!
¡Soy la Sabia! ¡Soy la Hechicera! ¡Ésta es mi canción!

Pase la pluma por sus párpados y después por su Tercer Ojo. Sosténgala con ambas manos apuntando hacia el cielo y camine en círculo en dirección opuesta a las manecillas del reloj. Baje los brazos y apunte con la pluma hacia el suelo. Diga:

¡Soy el cuervo de precisa visión,
Que puede ver lo jamás antes visto, con claridad y perfección!
¡Soy la Sabia! ¡Soy la Hechicera! ¡Ésta es mi canción!

Tome el caldero con ambas manos. Lléveselo a la frente, al corazón, el vientre y los pies. Sosténgalo sobre su cabeza y camine en círculo en dirección opuesta a las manecillas del reloj. Coloque el caldero entre sus pies y diga:

> ¡Soy el Caldero del Renacimiento, de un caudal
> Burbujeante e hirviente de vida inmortal!
> ¡Soy la Sabia! ¡Soy la Hechicera sin igual!

Sostenga la piedra con ambas manos. Sóplele. Frótela entre sus palmas para calentarla. Haga un pentagrama con saliva sobre su superficie. Toque con ella el suelo, álcela al cielo y diga:

> ¡Esta porción de mi viaje yo marco
> Con un símbolo de la Diosa de la Oscuridad;
> La Sabia, la Hechicera, yo misma lo abarco!

Coloque la piedra frente a la vela y déjela ahí hasta que ésta se consuma. Lleve la piedra consigo como símbolo de su nueva vida.

### ◆ Para aliviar la transición a la menopausia

Usar aceite de lavanda como perfume alivia la transición a la menopausia.

## Metas

### ◆ Hechizo de plantas

papel y bolígrafo

un sobre de semillas florales o una planta pequeña que aún no florezca

una maceta y tierra negra

una vara de fertilizante

una vela verde ungida de aceite vegetal

Escriba su meta en el papel. Llene la maceta a la mitad con tierra, encienda la vela y diga:

> Vela verde de fértil tono,
> Crecimiento y poder te dono.

Pase tres veces el paquete de semillas por encima de la llama y diga:

> Semillas/Planta, ahora durmientes, alivien mi dolor.
> Este propósito, ayúdenme a obtener sin temor.

(Si escogió la planta, pásele tres veces la vela por encima en el sentido de las agujas del reloj y luego cante.)

Pase tres veces la vara de fertilizante por encima de la vela y diga:

> Vara de fertilizante, tan rica,
> Crece este hechizo sin amarres, haz lo que implica.

Coloque el papel dentro de la maceta. Diga:

> En esta tierra fértil siembro mi meta
> Para que crezca en poder, contenta.

Cubra el papel con tierra hasta que se llene la maceta y mientras lo hace, diga:

> Meta, en esta tierra echa raíz.
> Éxito, ven con poco esfuerzo y hazme feliz.

Plante las semillas o la planta en la maceta, entierre la vara de fertilizante y riegue con agua diciendo:

> Mientras brotas y creces y germinas,
> El logro del propósito florece y culmina
> Hasta el final, y viene a la vida nuestra.
> Al florear exitosamente, me muestra:
> Mi propósito está alcanzado.
> ¡Que así quede sellado!

Riegue y cuide la planta mientras trabaja para lograr su meta.

## ◆ Hechizo de incienso

| | |
|---|---|
| papel y bolígrafo | incienso para el éxito (véase la sección de recetas del capítulo tres) |
| un recipiente a prueba de fuego | |

Escriba su propósito sobre el papel y colóquelo en el recipiente. Espolvoree el incienso y quémelo.

Mientras se quema, concéntrese en el éxito de su propósito y diga:

> Humo, al Cosmos has de llegar
> Para que a los Ancianos puedas avisar,
> Necesito de su asistencia para lograr
> Este propósito que me he impuesto efectuar.

Repita este hechizo cada día durante una semana mientras trabaja para lograr el éxito de su propósito.

## Nuevos proyectos ——————————————————————

(Para hechizos relacionados, véase "Oportunidades".)

### ◆ Invocación a la Diosa Triple para bendecir un proyecto nuevo

Diosa Virgen, que desde pequeña semilla inició su trayecto,
Bendice con tu goce este nuevo proyecto
Y a todos los que a él nos avocamos
Y por toda la Tierra tu goce alabamos.
Diosa Madre, tú que floreces
Y traes belleza a nuestros días y meses,
A este proyecto con tu mano crece
Y al regalo fértil de tu reino bendice.
Diosa Anciana, tú que reposas con aire contento
Y siembras de nuevo las cosas con tu aliento,
Bendícenos con tu intuición,
Ayuda a este proyecto con tu don.
Gran Diosa Triple, concédenos tu bendición
Y guíanos hasta su conclusión.

### ◆ Hechizo para un nuevo inicio

| | |
|---|---|
| una vela blanca | una llave |
| tijeras o cuchillo | pétalos de lirio secos o raíces de orris cortadas y coladas |
| 6 a 12 cm de cuerda o soga | pétalos secos de manzanilla o margarita |
| 18 cm cuadrados de tela verde claro | listón blanco |

Escriba su nombre sobre la vela y enciéndala diciendo:

Fresca y limpia, con esta llama pura,
Mi antigua vida es ahora oscura.

Visualice con vívido detalle lo que espera de su nueva vida y vea cómo se le abren nuevas oportunidades.

Corte la soga o cuerda por la mitad y deje que los pedazos caigan sobre el altar. Colóquelos en el centro de la tela diciendo:

Remueve tus límites, Término.
Libérame, Liberto.

Coloque la llave en el centro de la tela y diga:

Carna, ven y abre tus puertas, haz lo propicio,
Imploro que me concedas un nuevo inicio.

Ahora ponga los pétalos o las raíces en el centro de la tela y diga:

Iris, ayúdame a cruzar el puente;
Jano, dame lo que deseo, ponlo al corriente.

Sitúe los petalos de manzanilla o de margarita en el centro de la tela y diga:

Freya, haz que todo sea fresco y nuevo;
Hazlo ahora, te lo ruego.

Junte las esquinas de la tela y átelas con el listón para formar una bolsita. Mientras anuda el listón, diga:

Hoy inicio una nueva vida,
Sello mi vida transcurrida.
Ahora abrazo lo que viene a mí
En oportunidad y crecimiento, así.

Deje que la vela se consuma completamente; luego lleve consigo la bolsita o póngala en su bolsa o portafolios.

## Objetos perdidos

Este canto es excelente para encontrar objetos perdidos o fuera de lugar (como las llaves del auto o los lentes), en especial cuando tenga prisa y no tenga un minuto que perder.

### ◆ Canto para localizar objetos perdidos

> Guardián de las cosas que desaparecen,
> Escúchame, abre tus oídos, a ti te obedecen.
> Encuentra por favor lo que busco ahora
> Por Luna, Sol, Viento, Fuego, Tierra y Agua.

## Obstáculos

### ◆ Ritual de vainilla y romero

> una vela roja    extracto de vainilla
> aceite vegetal    romero

Unja la vela con aceite vegetal mezclado con unas gotas de extracto de vainilla, luego ruédela sobre el romero. Enciéndala y diga:

> Oh Grandes Ancianos de fuerza y poder,
> Vengan y ayúdenme a esta crisis resolver.
> Pongan a un lado todo lo que está en mi camino,
> Dejen que se derrumbe y caiga, fuera de mi destino,
> Para que éste quede libre y despejado,
> ¡Como lo deseo, que así quede sellado!

Mientras la vela se consume, concéntrese en cómo los obstáculos e impedimentos se derriten igual que ella. Extinga la llama después de transcurridos quince minutos.

Repita el ritual cada día por una semana y el último día deje que la vela se consuma por completo.

◆ **Para eliminar restricciones**

Salga a la intemperie en un día nublado y mire hacia el cielo. Encuentre una nube densa y dele el nombre del obstáculo que restringe su progreso. Concéntrese en la nube y desee que se disipe. En tanto se deshaga también lo hará su obstáculo.

## Oportunidades

(Para hechizos relacionados, véase "Nuevos Proyectos".)

◆ **Hechizo de la ventana**

Comenzando con la ventana situada al extremo este de su hogar, humedezca con saliva su dedo índice y trace con él un pequeño pentagrama en cada una de las esquinas del cristal. (Si sus ventanas tienen más de un vidrio, haga como si fuera uno solo y marque únicamente los de las esquinas.) Después dibuje un pentagrama de invocación en el aire frente a la ventana y diga:

> Ventanas de la oportunidad,
> Ábranse a mí a la brevedad.

Siguiendo la dirección de las manecillas del reloj, repita el proceso con todas las ventanas de su hogar.

## Parto

### ◆ Hechizo para partos sin dificultades

| | |
|---|---|
| una vela blanca | 15 cm cuadrados de tela azul |
| aceite vegetal | un listón o cinta amarilla |
| lavanda en polvo | |

Realice este hechizo cada mañana durante una semana antes del día programado para el parto. Unja la vela con el aceite y ruédela sobre la lavanda en polvo. Enciéndala y siéntese o acuéstese en una posición cómoda. Ponga ambas manos sobre su vientre y diga la siguiente oración:

Diosa Madre, toma mi mano, apiádate
Y todo este tiempo a mi lado quédate.
Arrúllame en tus brazos amorosos con delicadeza
Y háblame de la rima de la Naturaleza.
Mitiga los dolores de parto cuando el momento
Se acerque, y antes del nacimiento
Del niño. Confórtame y guíame a través
De su llegada a este mundo toda vez.
Asegúrate de que la labor no tarde tanto,
Que este infante nazca sin mi llanto,
Y que nuestras vidas se llenen de alegría.
Gracias. ¡Bendita seas, Madre mía!

Encienda la vela a diario, por un lapso de quince minutos. Al séptimo día, déjela consumirse por completo. Coloque la mecha y la cera derretida (si la hay) en el centro de la tela y espolvoréela con lavanda. Marque un pentagrama sobre la tela con el dedo y amárrela fuertemente con el listón. Tenga el paquete consigo durante el tiempo de parto y el alumbramiento.

### ◆ Para mitigar dolores de parto

Queme una mezcla de lavanda y sándalo en la sala de partos para mitigar los dolores y lograr un alumbramiento fácil.

---

**Pasión**

### ◆ Hechizo para invocar la pasión en general

Escriba su nombre en una vela roja, después mire hacia el sur y enciéndala. Invoque al elemento Fuego cantando:

> Fuego, apelo a tu corazón maravilloso
> Para que me ayudes en este acto milagroso.
> Trae a mí lo que te he confiado,
> ¡Como lo deseo, así que quede sellado!

Siéntese frente a la vela y observe por unos minutos cómo oscila la llama. Cante tres veces:

> Permite que la pasión fluya a mi alrededor,
> Deja que sus fluctuaciones me llenen por favor.
> Concédeme nuevos ánimos y vitalidad frente al porvenir
> Y que actúe con entusiasmo cada nuevo día que vea venir.

Deje que la vela se consuma por completo.

## Perdón

### ◆ Hechizo para obtener el perdón de alguien

una barra de helado    azúcar

un bolígrafo    agua

un frasco de un litro
con tapa de rosca

Escriba el nombre de la persona ofendida en un lado de la barra y el suyo en el otro. Coloque la barra en el frasco. Llene la mitad con azúcar y cante:

En este azúcar los dos nos encontramos
Espalda con espalda, pero de las manos.
Cambia los pensamientos amargos
Que (*nombre de la persona*) tiene de mí
Para que me otorgue su perdón, así.

Añada agua hasta llenar las tres cuartas partes del frasco y diga:

Con el agua limpio los altercados,
Y todo aquello que nos tiene separados.
Agua dulce, yo te ruego así
Que permitas al perdón venir a mí.

Tape bien el frasco y agítelo nueve veces, diciendo:

Miel de azúcar, haz tu menester
Y que (*nombre de la otra persona*)
Me perdone como debe ser.
Sumérgelo(a) en dulces pensamientos de mí
Y deja que su perdón se complete así.

Agite el frasco nueve veces cada día mientras dice el último canto.

### ◆ Hechizo para volverse más indulgente

un manojo de perejil fresco    un tazón con agua
un listón o cinta blanca

Ate el perejil con el listón. Meta las hojas en el agua y rocíese bien con ellas mientras dice:

Con esto todo daño y dolor lavo,
También todo desdén y enojo enjuago.
Purgo así todo desprecio,
Porque ahora el perdón aprecio.

Cuelgue el manojo en su cama para completar la magia mientras duerme.

## Periféricos de cómputo

### ◆ Amuleto para incrementar la velocidad del módem

Para acelerar el tiempo de carga y descarga del módem, ponga una pieza de ojo de tigre sobre los módems externos. Para los internos, coloque la piedra sobre el CPU. Los resultados son asombrosos.

### ◆ Canto protector del fax-módem

Zeus del trueno rugiente y vibrante;
Thor del rayo, maravilla fulgurante;
Loki, Murphy, queridos traviesos;
¡Mantengan sus maldades lejos! ¡No quiero sus excesos!
A este aparato protege, oh, Mercurio,
Y mantén sus cargas claras y limpias, será buen augurio.

Envía sus descargas con gran facilidad,
Y ponlas donde deben estar con tranquilidad.
De lluvias a cántaros por favor protege
A todos los bytes y caracteres que a tu cuidado deje
Para enviar a por doquier.
Llevarlos seguros de tu mano será tu menester.

## ◆ Canto para que un CD-ROM funcione adecuadamente

Hera, escucha mi plegaria con claridad,
Mantén este CD-ROM libre de polvo y suciedad.
Musas, vengan y marquen el paso,
permitan que la música fluya sin retraso.
Sarasvati, deja que el texto con libertad se desplace.
Como lo deseo, ¡así que siempre pase!

## ◆ Canto para que una impresora funcione adecuadamente

Mercurio, de pies alados,
Vigila cada tecla con tus ojos adiestrados,
Para que esta impresora pueda saber
Y haga bien lo que debe hacer.
Impresora, imprime sólo lo que te alimento,
Imprímelo con claridad en este momento.
Toma cada pixel y cada byte de la pantalla
E imprímelos rápido sin ninguna falla.

## ◆ Canto para el buen funcionamiento del escáner

Diosa Brígida, la Artífice,
Que el escáner muy bien se deslice
Y copie todo con fiel precisión,
Cada página y cada letra, es tu misión.
Escáner, memoriza prontamente
Cada byte, pixel y texto, eficazmente.
Fotografía cada cosa con fidelidad
Y alimenta al CPU con claridad.

## ◆ Talismán de disquete de computadora

El siguiente proceso sitúa al hechizo en un fuerte campo magnético. Esto contribuye a dirigir los propósitos mágicos y elimina la necesidad de cargas adicionales.

Para crear este talismán, en el disco duro de la computadora, escriba o copie un ritual o un hechizo de acuerdo con su propósito. Mientras lo hace, véase a usted mismo efectuando el ritual y logrando su cometido. Salve el ritual, páselo a un disco virgen y llévelo consigo.

## Pesadillas

## ◆ Para prevenir pesadillas

Lave un huevo en agua fría y escriba con un lápiz el nombre de la persona afectada por los sueños desagradables. Coloque el huevo en un recipiente y déjelo en la mesa o buró cercano a donde duerma esa persona. Si el huevo se agrieta o se rompe, arrójelo al inodoro. Repita la acción hasta que logre que el huevo permanezca intacto siete días consecutivos. Después deshágase de él echándolo por el inodoro.

## ◆ Cómo evitar pesadillas con citrina

Antes de irse a dormir, agarre fuertemente una citrina con su mano dominante y cante:

> Piedra de alegre luz amarilla,
> Te ofrezco mis sueños que son mi semilla.
> Atrapa a los dañinos, al resto déjalos fluir,
> Para que yo pueda tranquilamente dormir.

Coloque la piedra bajo su almohada.

## ◆ Receptor de sueños

Los receptores de sueños provienen de la medicina indígena estadounidense y son anillos dentro de los cuales se teje una red de fibra. Si se colocan sobre la cama, atrapan las pesadillas y sólo permiten que los sueños placenteros pasen al inconsciente. (**Nota:** si compra o confecciona un receptor de sueños, asegúrese de que el centro de la red no esté cubierto por una piedra o un fetiche, ya que de esta forma atrapará todos los sueños.)

## ◆ Para poner fin a las pesadillas

Para erradicar pesadillas, cargue de energía tres hojas de gordolobo con el siguiente canto y luego póngalas bajo su colchón.

> Hierba de gordolobo, ahora absorbe uniforme
> El sueño desagradable antes de que se forme.
> Trae a mí un sueño tranquilo,
> ¡Así que quede sellado, te lo pido!

## Petición de mano/Boda

(Para hechizos relacionados, véase "Amor".)

### ◆ Canto para bendecir a la novia y al novio

Bendice el suelo fértil, allá abajo.
Bendice el arado que surca de un tajo.
Bendice las semillas, la fruta y la flor
Y bendice este baño de nueva vida, sin dolor.
Bendice el día de hoy al novio y a la novia
Y bendice su amor, que así perdura.
Bendice a sus hijos y bendícelos en su cama, enlazados.
Bendice las vidas de estos recién casados.

### ◆ Amuleto para un matrimonio feliz

6 ramas de lavanda fresca    90 cm de listón rosa
una banda de hule    90 cm de listón rojo vino

**Nota:** si desea sustituir la lavanda fresca por seca, remójela en un recipiente de agua fría durante tres horas antes de hacer el amuleto.

Corte las ramas sobre una superficie plana para emparejarlas. Ate las puntas con la banda de hule y tréncelas usando dos de ellas para cada gajo (véase la figura 19).

Mientras trenza, cante:

Esta vida llena de alegría, proteges y bendices
Y a los recién casados: marido y mujer, felices.

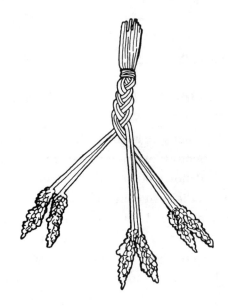

**Figura 19.**

Cuando llegue al extremo donde están las flores, junte los listones y dóblelos por la mitad. Céntrelos desde ese extremo sujetando la trenza con fuerza (véase la figura 20). Entrelácelos con la trenza trabajando hacia el extremo inicial, diciendo:

**Unes dos vidas y las haces una.**
**Tráeles alegría hasta el final y buena fortuna.**

Ate los listones en forma de moño hacia el final de la base (véase la figura 21). Regale el amuleto a la nueva pareja y pídale que lo cuelguen sobre su cama.

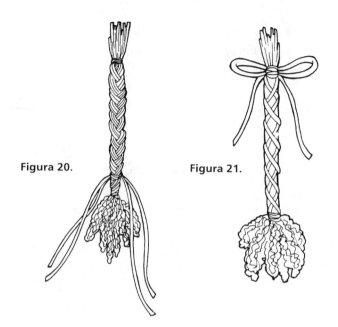

Figura 20.                    Figura 21.

◆ **Para una relación pacífica**

Ponga una hoja de magnolia bajo el colchón para asegurar una unión pacífica.

◆ **Para una relación amorosa y feliz**

Para mantener una relación feliz y llena de amor, consigan un par de raíces de Adán y Eva y llévenlas consigo constantemente. La mujer traerá la raíz de Adán y el hombre, la de Eva.

## Picaduras de insectos

◆ **Para defenderse contra las picaduras de insectos voladores**

Utilice el siguiente canto para evitar picaduras de insectos voladores como mosquitos, avispas, abejas, abejorros y moscas. Recibirlos con este canto los aleja y los mantiene a distancia.

Vuestras alas pequeñas benditas sean,
Manténgase lejos de mí, no me piquen ni me vean.

## Pies sobre la tierra

### ◆ Ejercicio 1

Pruebe este ejercicio cuando tenga problemas para poner los pies sobre la tierra.

Siéntese en el piso e inhale profundamente por la nariz. Aspire la energía verde de la tierra. Exhale por completo, deshaciéndose de la energía roja que produce la actividad y proyéctela de nuevo hacia la tierra. Repita la acción tres o cinco veces o hasta que se sienta relajado.

### ◆ Ejercicio 2

Siéntese o acuéstese en una posición cómoda y cierre los ojos. Visualícese como una semilla enterrada.

Véase pasar por el proceso de germinación. Observe cómo le salen raíces abajo y cómo comienzan a salirle pequeñas hojas arriba. Mire cómo esas hojas brotan a la superficie y crecen hacia el Sol. Entierre sus raíces en lo profundo de la tierra. Estírese y abra los ojos.

### ◆ Amuleto para poner los pies sobre la tierra

Lleve consigo una pieza de cobre y juegue con ella cada vez que sienta que sus energías comienzan a dispersarse.

## Poder

### ◆ Para adquirir el control de una situación

una vela color púrpura    papel y pluma
aceite vegetal    un plato a prueba de fuego
pimienta de cayén

Escriba su nombre en la vela, y después dibuje el símbolo del infinito, ∞ (un ocho horizontal), tanto arriba como abajo de su nombre. Unja la vela con el aceite vegetal y hágala rodar sobre la pimienta de cayén.

Describa en forma breve la situación sobre el papel, colóquelo debajo de la base de la vela, enciéndala y diga:

> Cera y hierba, ahora denme poder,
> Con cada hora que pase, háganme crecer.
> Traigan el control de regreso a mí.
> ¡Como lo deseo, que quede sellado así!

Deje que la vela se consuma por completo y luego queme el papel sobre el plato a prueba de fuego. Arroje las cenizas en el inodoro.

## ◆ Para incrementar el poder mágico

Lleve consigo un cristal de cuarzo claro que haya sido cargado de energía con este canto:

> ¡Poder mágico, levántate y crece!
> Albérgate y a esta piedra de cristal fortalece,
> Para utilizarla si la necesito en un momento dado.
> ¡Como lo deseo, que así quede sellado!

--- **Protección**

## ◆ Frasco protector para el hogar

| una variedad de hilos de diferentes colores | un frasco pequeño con tapa de rosca |
|---|---|
| tijeras | |

Corte los hilos en pedazos de 3 a 6 centímetros. Arrójelos uno a uno dentro del frasco, diciendo con cada uno:

Pedazos de hilo,
Viertan protección.

Cuando el recipiente esté lleno, ciérrelo, moje su dedo índice con saliva y trace con él un pentagrama sobre la tapa del frasco. Cargue de energía los poderes protectores de éste con el siguiente encantamiento:

Oh, Hestia del Crisol y del Hogar,
Protege a mi familia con tu poder, lo puedes lograr.
Protégela de todos los males que rondan al lado
Por medio de este frasco bien sellado.
Protege, también, oh Hestia, este hogar,
En este recipiente todo mal has de encerrar.
De antes y ahora trae buenas vibraciones
Y concede buena voluntad; que sean mis concesiones.

Coloque el frasco en un sitio lo más cercano posible al centro de su casa.

## ◆ Oración de la Diosa

Utilice esta oración cada vez que se encuentre en una situación incómoda o sienta necesidad de la protección de la Señora.

Diosa llena de Gracia,
Que eres Virgen, Madre y Hechicera,
Celebrado sea tu nombre.
Ayúdame a vivir en paz
Sobre tu tierra
Y garantízame seguridad en tus brazos.
Guíame a lo largo del camino que he elegido

Y muéstrame tu gran amor eterno
Mientras lucho por ser bondadoso con aquellos
Que no entienden tus caminos.
Y condúceme a salvo hacia tu Caldero del Renacimiento,
Ya que es tu espíritu el que vive en mí
Y me protege por siempre.
¡Que así sea sellado!

## ◆ Invocación a Hécate para protección

Sabia Hécate, bendíceme por favor
Y todo aquello que me pertenece.
Bendice mi trabajo y mis cometidos.
Protégeme y mantenme siempre a salvo
De todo hechizo y pensamiento maligno.
De todo sitio de donde se forje el daño,
De todo mal permitido,
Protégeme, Gran Sabia, cuídame ahora.
Ayúdame a caminar en armonía cada hora
Con cada árbol y pájaro y piedra,
Con cada criatura de la Tierra.
Déjame vivir con gozo y alegría
Para que siempre sea su amigo
Y merecerme su protección hasta el final de mi vida.
Oh, Sabia Hécate, cuídame tú que estás bendecida
Hasta que mi alma sea por fin liberada.

## ◆ Amuleto de protección de ajo y cebolla

3 cebollas con todo y rabo
3 ajos con todo y rabo

Para proteger a su familia de la interferencia de espíritus malignos, trence los rabos de cebolla y ajo combinados y cante:

**Bulbos en capas de poder y fortaleza,**
**Ahuyenten todo daño y rencor con su entereza.**

Cuelgue el manojo en la cocina y remplácelo cada año.

### ◆ Protección general
Para propósitos de protección en general, frote a diario un poco de aceite de lavanda atrás de sus orejas.

### ◆ Protección contra los malos espíritus
Desde tiempos medievales, los pompones y flequillos han sido utilizados como objetos protectores, porque confunden y distraen a los espíritus malignos.

### ◆ Protección contra accidentes
Llevar consigo una hoja de serbal lo protege de toda clase de accidentes.

### ◆ Amuleto para asegurar la privacidad
Tenga siempre una hoja de mora o una de nébeda entre las páginas de su Libro de Secretos Mágicos u otros diarios para protegerlos de las miradas de los demás.

## Purificación

### ◆ Para purificar piedras y pedrería engarzada en joyería
Si bien el método tradicional de purificar piedras en agua salada es eficaz, la mezcla con frecuencia corroe el metal de las piedras engarzadas. En vez de esto, coloque las piedras en el congelador durante 24 horas; este proceso elimina las energías negativas y no daña los metales preciosos.

### ◆ Para purificar cristales y piedras

Colóquelos en una maceta floreciente de violetas africanas y déjelas ahí por tres días. (**Precaución:** el exceso de energía negativa puede causar que la planta muera.)

### ◆ Para purificar el cuerpo físico

Añada dos tazas de sal a un baño de cuerpo entero en la tina. Ponga las manos sobre el agua y cante:

> **Sal y agua, purifiquen desde el centro**
> **La energía negativa que llevo dentro.**
> **Limpien mi cuerpo de pies a cabeza.**
> **Como lo deseo, ¡háganlo con certeza!**

Sumérjase por completo varias veces, cerciorándose de purificar cada orificio de su cuerpo con el agua salada. (**Nota:** para los ojos y las fosas nasales, use una o dos gotas de agua y aplíquelas con la punta del dedo. Si tiene alguna cortada, raspadura o quemadura, es mejor posponer el baño hasta sanar totalmente, pues la sal contiene propiedades curativas excelentes pero causa ardor en la carne viva.)

### ◆ Para purificar un espacio de trabajo mágico

| | |
|---|---|
| un tazón o canasto pequeño | incensario |
| manzanilla | porciones iguales de resina de drago, olívano y mirra |
| una hematita | una caja de sal de mesa |
| un trozo de carbón | |

Coloque el tazón o canasto en el centro del espacio que se va a purificar. Llénelo con la manzanilla y sitúe encima la hematita. Ponga las manos sobre el canasto y cante:

Piedra y flor, ahora eliminen despacio
La energía negativa de este espacio.
Fuércenla a salir y llévensela de aquí
A una tierra lejos de mí.

Queme el carbón y colóquelo en el incensario. Añada las partes iguales de resina de drago, olívano y mirra. Partiendo del este y en dirección opuesta a las manecillas del reloj, humee los límites del área tres veces. Con cada paso, cante lo siguiente:

Humo y fuego de sabiduría ancestral,
Purifiquen cada poro por igual.
Este espacio purifíquenlo también,
Libérenlo de energía negativa y límpienlo bien.

Coloque el incensario en el este.

Tome la caja de sal de mesa. Iniciando en el este y en la dirección de las manecillas del reloj, esparza su contenido en las áreas limítrofes. Mientras distribuye la sal, cante:

Poder maligno, mantente alejado.
Espíritus benignos, vengan y quédense a mi lado.

Párese en el centro del área con los brazos extendidos y diga:

Que este sitio sea purificado y liberado,
Que toda materia negativa se quede a un lado.
Todos los trabajos y hechizos fluirán con facilidad,
Como lo deseo, ¡así quede sellado con bondad!

Una vez que el carbón se haya consumido, entierre las cenizas en el suelo o échelas en el inodoro. Ponga la canasta con la manzanilla y la hematita en un área visible de dicho espacio.

## ◆ Para purificar utensilios rituales

| | |
|---|---|
| una vela blanca | un pequeño tazón con agua |
| incienso de olívano o de sándalo | un plato pequeño con tierra negra |

Encienda la vela y el incienso. Pase la herramienta a través del humo y cante:

> Te purifico con el aliento de los aires alados,
> Vientos que soplan fríos y los que soplan templados.

Pase la herramienta por la llama de la vela y cante:

> Te limpio con el calor del fuego,
> A la llama danzante y purificadora se lo ruego.

Rocíe la herramienta con agua y cante:

> Con esta agua te doy vida y te purifico,
> Cuchillo encrespado, ahora te dignifico.

Espolvoree la herramienta con tierra negra y cante:

> Con las profundidades de la tierra te limpio al momento,
> Hogar de la muerte y lugar de nacimiento.

Tome la herramienta con ambas manos y elévela en dirección al cielo, diciendo:

> ¡Libérate de la negatividad!
> Como lo deseo, ¡que se haga verdad!

## Robo

### ◆ Para impedir el robo

Junte un bulbo de ajo, una rama de romero, otra de enebro y una de saúco para confeccionar un ramo. Sujételo con un listón púrpura y cuélguelo en la puerta principal. Como alternativa, coloque un poco de la mezcla de esas hierbas secas en un pañuelo, junte las puntas y sujételas firmemente con el listón.

### ◆ Hechizo de la llama azul

Visualice llamas azules que salen de la punta de su dedo índice. Úselas para trazar pentagramas en todas las entradas y salidas de la construcción y en los sitios donde se guarde dinero. Cante:

> Oh, Pentagrama Llameante de la Protección,
> Aleja a los ladrones de esta dirección
> Por medio de tus tan salvajes y libres llamas.
> ¡Como lo deseo, que se selle con ganas!

### ◆ Amuleto para colgar en la puerta

Hace muchos años encontré este poema anónimo que colgué en mi puerta para impedir robos. Desde entonces, nada ha salido de mi casa sin que haya sido voluntariamente.

> Lo que viene a mí me lo quedo,
> A quien se va de mí lo libero.
> Pero estoy en contra de todo aquello
> Que no está en mi llavero.

### ◆ Protección para bolsas y carteras

Para proteger su bolsa o cartera de robo, ponga en su interior un poco de genciana.

————————————————————————— **Sabiduría**

## ◆ Canto a Atenea

Pruebe este canto cuando tenga que tomar una decisión pero no esté seguro de conocer todos los hechos.

> Gran Sabia Atenea, Reina de la Introspección,
> Eleva tu vuelo de lechuza, concédeme razón.
> Ven a mí, permanece a mi lado
> Y deja que tu sabiduría me vaya guiando.
> Muéstrame lo que tenga que ver
> Para eficazmente estos problemas resolver.
> Préstame tu sagrada experiencia
> Y concédeme tu sabiduría y sapiencia.

————————————————————————— **Salud/curación**

## ◆ Hechizo para curación

Encienda una vela azul y visualice a la persona que necesita la curación. Cuando la imagen esté clara en su mente, enfoque el área de la enfermedad y coloréela de rojo brillante. Ahora visualice diminutos trabajadores con cubetas repletas de pintura verde claro, brochas y rodillos. Mantenga la imagen en su mente hasta que los trabajadores hayan pintado de verde toda el área afectada. Luego abra los ojos y cante:

> Te tengo en mi corazón, en su calor,
> Y te envuelvo con mi amor.
> El círculo de protección
> Desciende de arriba, en tu dirección.
> Mientras envío esta energía, capaz,
> Todo dolor desaparecerá, fugaz,
> Y toda enfermedad se disipará

Y con ella el temor se despejará.
Ahora remplazo la vacuidad
Con fresca vitalidad,
Para que por la tierra puedas caminar
Riendo con amor, júbilo y bienestar.
Bendiciones y buena salud, querida amistad
Te cubrirán de ahora en adelante, con bondad.
Pido a Ellos que te cuiden con firmeza
Y te mantengan saludable y con fortaleza.

Deje que la vela se consuma por completo.

### ◆ Canto para la buena salud y el bienestar personal

Si se dice a diario, este canto protege contra la enfermedad.

Buen flujo de energía, tranquilidad y salud abundante,
Esto conjuro que sea mío al instante.
Fuerza y paz y serenidad
Hasta el fin de los tiempos y la humanidad,
Movimiento fluido para mis articulaciones
Y claridad para mi mente y mis emociones.
Fortaleza a los huesos y flexibilidad a los músculos
Reclamo también como míos.
Energía, fuerza sin límites,
Mi cerebro pon en alerta,
Fluctuación de inspiración ilimitada
Donde ninguna idea esté restringida,
Gran sabiduría de mi Ser Supremo
Y equilibrio a mi vida,
Que sean míos también yo reclamo
Como la Luna y el Sol que brillan de la mano.

### ◆ Amuleto de semillas de manzana para la salud

Según la leyenda, llevar una asafétida en el cuello mantiene apartadas las enfermedades mentales y físicas. Esto no es sorprendente ya que su olor es tan desagradable que nada resiste estar cerca de ella.

En lugar de esto, ensarte un número par de semillas de manzana para llevarlas como collar. Remójelas de ocho a 10 horas en agua fría para ablandarlas. Después enhebre una aguja puntiaguda con monofilamento o hilo resistente y perfore las semillas con ella para ensartarlas.

Cargue de energía el collar cantando:

> Fruta de la vida, fruta de la muerte,
> Hechicera, en tus manos está mi suerte.
> De tus dos mundos tráeme la salud aquí.
> Como lo deseo, ¡que quede sellado así!

### ◆ Curación rápida

La hematita es una piedra autocurativa, las raspaduras de la piedra desaparecen cuando se frotan con los dedos. Para acelerar una curación personal, use o lleve consigo una hematita, reforzada con el siguiente canto:

> Piedra de la cura, piedra del poder, escucha mi oración,
> Cúrame con la velocidad de la luz, es mi petición.

### ◆ Programación de una operación quirúrgica

Programe una operación quirúrgica pendiente para un día de Luna menguante. Las energías de la Luna controlan las fluctuaciones corporales, por lo que el sangrado excesivo es menos probable durante esta fase.

Los siguientes remedios sugieren resultados rápidos para problemas menores. Para casos serios se necesita atención médica. Si estos remedios no resuelven el problema de inmediato, consulte a un médico.

### ◆ Para detener la diarrea

Añada una cucharada sopera de nuez moscada a una taza de agua hirviendo. Déjela reposar por cinco minutos, cuélela y beba.

### ◆ Para detener hemorragias menores

Presione una hoja de plátano magullada sobre la herida. Sus propiedades astringentes detienen la hemorragia de inmediato.

### ◆ Para extraer veneno de insecto o sacar la pus de un furúnculo

Añada media taza de hojas de consuelda a dos tazas de agua hirviendo. Cuele con tela de manta o una gasa de 10 centímetros cuadrados. Deseche el líquido y utilice las hojas como compresa caliente. Esto funciona especialmente bien en picaduras de arañas.

### ◆ Para provocar la menstruación

Haga un té con una cucharada sopera de bolso de pastor y una taza de agua hirviendo. Tome una taza de té tres veces al día.

### ◆ Para combatir la anemia

Coma una taza de zarzamoras dos veces al día.

### ◆ Para aliviar y secar ampollas producidas por hiedras venenosas

Machaque una taza de flores y hojas de berro y envuélvalas en un trapo. Ponga el ramillete en una tina de agua caliente. Talle con él las áreas afectadas.

### ◆ Para aliviar síntomas menores de artritis

Lleve una pieza de cobre en la parte del cuerpo lo más cercana posible al área afectada.

--------------------------------------------------------------- Separación pacífica

(Para hechizos relacionados, véase "Divorcio".)

◆ **Baño de nogal**
Coloque seis nueces de nogal descascaradas en el tazón del filtro de la cafetera y añada seis tazas de agua. Mientras el brebaje hierve, visualice a la persona o personas que desee fuera de su vida. Cante varias veces:

> Conexiones, les invoco a desgarrarse y romperse,
> Den una vida tranquila a todos, es de merecerse.

Cuando el ciclo concluya, retire las nueces del filtro y póngalas en la jarra. Deje que la mezcla se caliente tres horas y después, retire y deseche las nueces.

Prepare un baño de agua caliente y vierta en él la infusión colada. Sumérjase por completo siete veces, y con cada zambullida, vea cómo cada rasgo y cada huella de la persona se enjuaga de su vida. Después de las siete inmersiones, permanezca ocho minutos dentro del agua. Deje que su cuerpo se seque solo.

◆ **Para una separación pacífica**
Tome un pedazo de ónix negro con ambas manos y sosténgalo frente a su Tercer Ojo. Visualice a la persona de la que desea separarse, véala alejarse y encontrar una dirección nueva en la vida. Cante:

> Como la luz a la oscuridad,
> Como la noche al día, con bondad,
> Ahora déjame y que el divino
> Amor ilumine tu destino.
> Con paz camina tu sendero
> Que yo el mío andaré ligero.
> Que la paz y la fortuna
> Iluminen tu camino como una.

Regale a esa persona la piedra.

## ◆ Para que un ex amante deje de molestarle

Recorte un corazón de papel rojo. Escriba su nombre en una mitad y el de su ex amante en la otra. Doble el corazón en dos y rásguelo por la mitad. Guarde la parte que lleva su nombre para protección. Entierre o envíe la otra mitad a su ex amante: no volverá a molestarle.

## Síndrome premenstrual (SPM)

## ◆ Té para aliviar espasmos

Para parar los espasmos menstruales, tome media taza del siguiente té dos veces al día.

Ponga una cucharadita de matricaria en el tazón del filtro de la cafetera y añada una taza de agua. Mientras el té hierve, cante:

> Hierbas y agua, poderes gesten,
> Ahora a su magia vida presten.

Sirva el té y endúlcelo con miel si lo desea. Antes de beberlo, cante sobre la taza:

> Matricaria, ahora té herbal,
> Aleja estos espasmos que me hacen mal.

## ◆ Hechizo de aromaterapia para el SPM

Realice este hechizo a diario durante una semana antes de iniciar su periodo menstrual y dos días después de que haya comenzado su menstruación.

> aceite de jazmín    aceite de rosas
> aceite de lavanda

Mezcle los aceites, unas gotas a la vez, hasta que logre la fragancia de su agrado. Unja su frente, vientre, espalda baja, pantorrillas y tobillos, diciendo con cada unción:

Flores, alivien de mi cuerpo este gran estrés,
Calmen nervios e hinchazones, para descansar después.

## ◆ Amuleto para aliviar el SPM

Lleve consigo una piedra lunar desde una semana antes de su menstruación hasta finalizar ésta. Cárguela de energía cantando:

Piedra de Luna, Marea y Mares,
Alejen el dolor y la hinchazón que son mis pesares.
Alivien todo síntoma menstrual pesado,
¡Como lo deseo, así que quede sellado!

## Solución de problemas

## ◆ Hechizo para desenmarañar un enigma

una vela blanca    un pequeño artículo de vestir tejido (por ejemplo, un guante o un gorro viejo)

tijeras

Escriba su problema en la vela y dibuje un signo de interrogación debajo del texto. Encienda la vela y diga:

Problema, desvanécete ahora.
Soluciones, vengan a mí, ya es hora.

Corte una hebra del borde de la prenda tejida y jale de ella hasta deshacerla. Diga:

Al deshacerse estos estambres tejidos,
Los problemas ya no podrán mantenerse unidos.

Enrolle el estambre en una bola, diciendo:

Ahora te enrollo en una bola, mientras
Las soluciones aparecen: primero una y luego todas.

Siga desenmarañando y enrollando en forma alternada, con los cantos correspondientes. La solución llegará cuando termine de enrollar todo el estambre.

### ◆ Hechizo para resolver los problemas en el trabajo

Para eliminar los problemas en el trabajo, dele a un trozo de tela arrugada el nombre del dilema. Planche la tela, rocíela con agua si es necesario, hasta que no tenga una sola arruga. Mientras plancha, repita este canto:

Caos, desvanécete, huye de aquí.
Soluciones, vengan con la rapidez de la luz a mí.

Lleve la tela a su área de trabajo y sosténgala unos minutos. Pronto le llegará la solución a su problema.

## Sueño

### ◆ Té para inducir el sueño

Añada una cucharada de flores de manzanilla a una taza de agua hirviendo. Mientras el té reposa, cante:

Flores tranquilizantes, traigan a mí
El sueño que tan desesperadamente necesito aquí.

Endúlcelo con miel si así lo desea.

### ◆ Para aliviar el insomnio

Poner una bolsita de lúpulos secos dentro de la funda de su almohada ayuda a aliviar el insomnio.

---

## Sueños

### ◆ Té de sueño profético

| una cucharadita de manzanilla | 2 cucharaditas de pétalos de rosa |
|---|---|
| media cucharadita de canela | una cucharadita de hierbabuena |
| una cucharadita de artemisa | |

Mezcle bien los ingredientes. Utilice una cucharadita del té por cada taza de agua hirviendo. Mientras el té se asienta, cante:

Té de la visión, té del ensueño,
Mientras te ingiero, hazme dueño
De un estado alterado propicio que culmine
En un sueño psíquico. Y una vez que termine,
Arrúllame hacia un sueño apacible y seguro
Y aporta las respuestas que necesito con apuro.

Endulce el té con miel si lo desea y bébalo media hora antes de irse a la cama.

Guarde el té seco en una bolsa de plástico con cierre o en un frasco de vidrio con tapa de rosca.

◆ **Saquito de sueños**

|                    |                   |
|-------------------:|-------------------|
| semillas de anís   | artemisa          |
| manzanilla         | romero            |
| clavo              | pétalos de rosa   |
| menta              | un saquito de tela |

Mezcle las hierbas machacadas hasta obtener el aroma de su agrado. Rellene el saquito con la mezcla y energícelo cantando:

**¡Mezcla de sueños psíquicos, ven a la vida!**
**Energías entrelazadas, vibren sin medida.**
**Muéstrenme al soñar lo que debo ver**
**Mientras sueño, ¡es menester!**

Introduzca el saquito en la funda de su almohada. Remplace la mezcla cuando el aroma se haya disipado. Guárdela en una bolsa de plástico con cierre.

◆ **Para soñar con vidas pasadas**
Llevar un ópalo a la cama o dormir con uno bajo la almohada ayuda a inducir sueños de encarnaciones anteriores.

◆ **Para recordar sueños**
Para recordar sus sueños, ponga un jaspe rojo sobre su cabecera o en el buró de su cama antes de irse a dormir.

◆ **Para soñar con el amor verdadero**
Introduzca cinco hojas de laurel en la funda de su almohada el Día de San Valentín para soñar con su amor verdadero.

———————————————————————————————— **Suerte**

## ◆ Amuleto de la buena suerte

|  |  |
|---|---|
| una obsidiana | 7 semillas de anís estrella |
| 12 cm cuadrados de tela amarilla | 21 cm de listón dorado |

Ponga la piedra en el centro de la tela. Añada una a una las semillas de anís estrella mientras canta:

> Una para la fortuna,
> Dos para el dinero,
> Tres para el favor
> Y cuatro para la miel.
> Cinco por lo viejo,
> Seis por lo nuevo.
> Siete, tráeme éxito
> En todo lo que yo hago.

Junte las puntas de la tela y átelas con el listón para formar un saquito. Lleve el amuleto en su bolsillo o con usted.

## ◆ Baño de nuez moscada para cambiar su suerte

Pese a que se dice que este baño cambia la suerte, lo que realmente hace es purificar su aura de la negatividad que atrae la mala suerte. También provoca que otros acepten más sus ideas, sus antojos y deseos. Úselo antes de una entrevista para buscar empleo, sostener discusiones importantes o antes de una junta con alguien a quien usted sienta poco motivado.

En un filtro de café, ponga seis cucharaditas de nuez moscada molida en el filtro de la cafetera automática. Añada una taza de agua y deje que el té hierva. Cuando se enfríe, prepare un baño caliente y vierta en él el líquido.

Quédese en la tina 10 minutos y sumérjase en ella de seis a ocho veces. En cada inmersión, piense o diga:

Cambio de suerte, ven a mí,
¡Como lo deseo, que quede sellado así!

Permita que su cuerpo se seque solo.

### ◆ Transformador de suerte de Luna menguante

Cuando haya Luna menguante, salga a la intemperie y abra los brazos hacia ella. Comuníquele en silencio su problema (lo mal que le trata la gente, cómo parece que no puede seguir adelante y todas aquellas cosas malas que le han venido sucediendo). Cuando ya no pueda pensar en nada más qué decirle a la Luna, cante fervientemente:

Luna de la plata más fina, mengua
Y llévate contigo mi mala suerte y ruina.
En tanto tú decreces, también lo hace todo mal,
Así que quede sellado, Luna, todo bien y normal.

### ◆ Amuleto para aumentar su suerte

Para aumentar su buena suerte, lleve en su bolsillo tres lágrimas de David o de Job.

## Temor

(Para hechizos relacionados, véase "Valor".)

### ◆ Amuleto para propiciar la audacia

una vela color púrpura    una tela color
                          púrpura de 10 cm cuadrados

| incienso de Marte (opcional; véase la sección de recetas del capítulo tres) | 3 pizcas de resina de drago en polvo |
| una sanguinaria o hematita | un listón o cinta roja |

Encienda la vela y el incienso y medite unos momentos sobre las razones de su miedo. Examínelas con todo detalle y deshágase de aquellos temores que no tengan una base sólida.

Coloque la piedra sobre la tela y diga:

> Sanguinaria (o hematita), Piedra del Guerrero,
> Haz que el temor no viva más en mí, así lo quiero,
> Que no habite en mi corazón o en mi mente.
> Aplástalo, piedra y dale muerte.

Esparza la resina de drago sobre la piedra, una pizca a la vez. Con la primera pizca, diga:

> Con esta pizca, que mi temor desaparezca.
> Reduce su voz hasta que enmudezca.

Con la segunda pizca, diga:

> La segunda aleja el temor y con placer
> Lo disuelve para que no pueda permanecer.

Con la tercera, diga:

> La tercera hace de acero mis nervios
> Y me ayuda a enfrentar sucesos serios.

Tome las puntas de la tela, júntelas y asegúrelas con el listón para formar un saquito. Póngalo frente a la vela; déjelo ahí hasta que ésta se consuma y luego porte el saquito consigo.

### ◆ Hechizo para mitigar el temor

bolígrafo y papel

incienso de Marte
(véase la sección de
recetas del capítulo tres)

En un pedazo de papel, haga una lista de todos sus temores y luego rómpalo en pedazos. Póngalos en un plato a prueba de fuego, espolvoree el incienso encima y préndalo. Eche las cenizas en el inodoro.

### ◆ Canto para mitigar el temor

Kali, la Temida y Destructora,
Ayúdame a sobreponerme ahora
A este temor que me tiene cautivo;
En tus aguas de sangre ahógalo vivo,
Consume este demonio que es el temor.
Protégeme con tu grandeza y valor.
Préstame tu fuerza y ayúdame a enfrentar
Cualquier cosa que venga a mi hogar.
Ayúdame, oh Gran Anciana,
Como lo deseo, ¡que así sea mañana!

### ◆ Para encontrar el origen de un temor

Muchas veces es difícil controlar o eliminar el temor a menos que sepamos cuáles son sus causas. Para encontrar el origen de su temor, use o lleve consigo un jaspe moteado. Sus energías atraviesan las envolturas defensivas del temor y permiten que el problema real salga a la superficie.

## Tiempo

### ◆ Hechizo para detener el tiempo

Este sencillo hechizo es muy eficaz cuando está retrasado o necesita descansar pero no tiene tiempo. Si tiene un reloj a la mano, ponga las manos sobre él. De no ser así, visualícese sosteniendo un reloj. Cante o piense fuertemente:

> Tiempo, te ordeno, ¡mantente quieto!
> Que no pasen los minutos hasta que acabe por completo
> De hacer lo que necesito.
> ¡Tiempo, detente, te lo suplico!

### ◆ Para asegurar puntualidad

Si el llegar tarde es un problema constante para usted, intente esto. Consiga un cristal de cuarzo y sosténgalo en su mano dominante. Visualice una luz verde que se proyecta desde su Tercer Ojo hacia el cristal. Sostenga éste hasta que sienta las pulsaciones de energía. Cante:

> Dame energía, cristal de cuarzo,
> Para tener un anticipado comienzo
> Y llegar a tiempo y siempre libre de retraso.
> ¡Así deseo que quede sellado, hazme caso!

Lleve el cristal consigo en todo momento.

## Trabajo

### ◆ Hechizo para conseguir un aumento

una vela verde    un bolígrafo

aceite de baya de laurel,    un billete verde
de bergamota o de pino

el talón de un cheque
de nómina reciente

Reúna los materiales para el hechizo la primera noche de Luna nueva. Escriba el nombre de su jefe en la vela y debajo de éste, una flecha apuntando hacia abajo. Trace un símbolo de pesos ($) después de la punta de la flecha. Enseguida del símbolo, dibuje otra flecha apuntando hacia abajo y al final de ésta, escriba su nombre (véase la figura 22).

Unja la vela mientras se concentra en su necesidad de un aumento. Escriba la cantidad adicional que necesita abajo de la cantidad neta incluida en el talón del cheque y súmelas. Coloque esto bajo la vela. Enciéndala y visualice la aprobación del aumento por parte de su jefe. Cante:

**Figura 22.**

De ti a mí fluyen los dineros,
Desterrando infortunios financieros.
El aumento que necesito será aprobado
Antes de que la luz de la Luna llena haya llegado.

Deje que la vela se consuma por completo. Envuelva la mecha y los residuos de cera en el billete y llévelo consigo. Pida el aumento el miércoles anterior a la Luna llena.

———————————————————————————— **Tránsito**

### ◆ Amuleto para evitar recibir multas de tránsito injustas

Lleve una combinación de piedra de ojo de tigre, hematita y cristal de cuarzo en la guantera o, si no fuma, en el cenicero. El ojo de tigre contribuye a la "buena vista", que es de verdadera ayuda para quienes sufren de ceguera nocturna o tienen dificultad con los reflejos del parabrisas. La hematita tiene una fuerza estabilizadora y rechaza la negatividad. El cuarzo transparente amplifica los efectos de las otras dos piedras. Antes de colocar las piedras dentro del vehículo, sosténgalas en su mano dominante y cante:

> Piedras, ¡rechacen cualquier multa injusta e incorrecta!
> Llévenme seguro a mi ansiada meta.

Este amuleto no tiene la capacidad de evitarle las multas de tránsito merecidas, como las impartidas por exceso de velocidad o por pasarse los altos. Tan sólo lo protege de las ridículas multas que los policías algunas veces imponen con el único propósito de cumplir sus cuotas.

### ◆ Hechizo para cambiar la luz del semáforo de roja a verde

Antes de tener que parar ante un semáforo, concéntrese en el color rojo e inhale con profundidad absorbiendo el color con su respiración. Después exhale completamente en verde, dirigiendo su respiración al foco inferior del semáforo. La luz cambiará a verde.

### ◆ Hechizo para poder manejar en el hielo o la nieve

Visualice una luz blanca de protección envolviendo su vehículo. Mientras sube a éste y lo enciende, cante:

> Vodan, Freya, escuchen mi oración,
> Concedan lo que les pido con razón.
> Hagan que este auto (*o camioneta*) no sea un trineo,
> Que no resbale o derrape durante el trayecto.

Ténganme apartado de los juegos de Loki, el Burlador,
Concédanme un viaje seguro en este día, por favor.

**Nota:** si cambia las palabras un poco, este hechizo puede protegerle contra cualquier tipo de condiciones adversas durante un viaje.

## ◆ Hechizo para aliviar el congestionamiento vehicular

Este hechizo lo mantuve pegado en la visera de mi automóvil cuando vivía en Los Ángeles. Cuando lo cantaba un número non de veces, nunca falló.

Dioses del Movimiento y de la Circulación,
Alivien este embrollo que causa conflictos y frustración.
Hagan que los autos sigan por su camino, sean su guía
Y permitan que el tránsito fluya hasta el final del día.
Por favor, apúrense, háganlo pronto,
Con los vientos del cambio aligeren este tránsito lento.

## ◆ Hechizo para evitar accidentes de tránsito

Proyecte en su mente un círculo protector alrededor de su vehículo. Invoque a los guardianes o celadores situándolos al frente, atrás y a los lados del mismo. Pídales su protección.

A pesar de ser un hechizo sencillo, su eficacia es asombrosa. En situaciones en las que un golpe lateral sea casi inevitable, los otros autos parecerán "rebotar" en el cojín protector, dejando a los involucrados ilesos.

---
# Valor

(Para hechizos relacionados, véase "Temor".)

## ◆ Amuleto para el valor

> una pieza de joyería
> aceite de almizcle o cedro

Consiga una pieza de joyería; cualquiera le será útil, siempre y cuando sea algo que use con frecuencia. Frote un poco del aceite en la pieza y cante:

> **Te imbuyo de bravura, temple y valor,**
> **Te lleno de confianza y ahora por favor**
> **Mis propósitos cumple: siempre que la ansiedad brote,**
> **Erradícala y permite que en mí la confianza salga a flote.**

Porte la joya siempre que sea necesario.

## ◆ Amuleto para fomentar la confianza en sí mismo
La hematita es la piedra de los guerreros y de los soldados. Lleve un pequeño trozo de ella en su bolsa y tóquela cada vez que la confianza en sí mismo disminuya.

Mascar nébeda promueve el valor y la confianza en uno mismo.

---
# Viajes

## ◆ Hechizo para un viaje seguro

> una vela del color que elija    aceite vegetal
> 2 velas blancas    sándalo en polvo
> una vela color púrpura    incienso de sándalo

La vela del color que eligió lo representa a usted o a la persona para quien se hará el hechizo. Escriba su nombre en esta vela "de personalidad". Unja todas las velas con el aceite y ruédelas sobre el polvo de sándalo.

Coloque la vela de personalidad en el centro del altar, con una vela blanca a la izquierda y la púrpura a la derecha. Coloque la segunda vela blanca frente a la primera y el incienso frente a la de color púrpura (véase la figura 23).

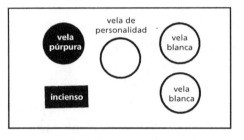

**Figura 23.**

Encienda las dos velas blancas, la de personalidad, la púrpura y el incienso, en este orden. Cante lo siguiente:

> Madre del Mundo, ¡despierta!
> Cuídame con mirada alerta.
> Mientras viajo, proyecta tu luz de amor puro
> Y mantenme de día y de noche seguro.
> Vigila mis pertenencias, por favor, eres capaz
> Y concede que mi viaje esté repleto de paz.
> Protégeme porque yo te pertenezco,
> Después guíame a casa seguro de regreso.

(Si el hechizo es para más de un viajero, sustituya la primera persona del singular por la primera persona del plural.)

Deje que las velas se consuman por completo. Coloque las mechas quemadas o los restos de la cera (si queda algo) en un pañuelo de tela.

Cierre anudando la punta superior derecha con la punta inferior izquierda, y la inferior derecha con la superior izquierda. Lleve consigo el pañuelo como amuleto para un viaje seguro.

## ◆ Amuleto para que llegue el equipaje

No hay nada peor que llegar a su destino sin su equipaje. Pruebe este hechizo como una medida preventiva.

90 cm de listón o cinta color púrpura

un pedazo de tela blanca de 7.5 cm por cada pieza de equipaje y uno extra

1 cucharadita de lavanda por cada pedazo de tela

Corte el listón en tantas partes como pedazos de tela haya. Extienda éstos en un lugar plano y ponga una cucharadita de lavanda en el centro de cada uno. Haga bolsitas con cada pedazo de tela y amarre con uno de los pedazos del listón. Ponga una bolsita adentro de cada pieza de equipaje, diciendo:

Lavanda de dulce protección,
Cuida mi equipaje de perdición.
Tráelo salvo a mi destino
Sin tropiezos ni tardanza en el camino.
Asegúrate de que llegue conmigo,
Como lo deseo, que quede a tu abrigo.

Lleve consigo la última bolsita. Mientras se la coloca, diga:

Lavanda, llevo conmigo,
El amuleto que completa el hechizo.
Esto me liga a mi equipaje
¡Para que no pueda extraviarse!

### ◆ Amuleto para viajes por agua seguros

Para hacer seguro un viaje por agua, lleve consigo un trozo de alga negra común y una aguamarina.

## Victoria

### ◆ Para lograr la victoria en general

Lleve consigo tres hojas de laurel previamente cargadas de energía con este canto:

> Laurel de los Antiguos, venga,
> Permita que su poder yo obtenga.
> Concédame éxito y fortaleza en esta empresa.
> ¡Como lo deseo, que así sellado sea!

### ◆ Canto para obtener la victoria en los deportes

Utilice el siguiente canto antes de participar en cualquier tipo de competencia deportiva.

> Diosas y Dioses del Olimpo,
> Les pido su venia,
> Ayúdenme a ganar,
> Auxílienme sin titubear.

### ◆ Para vencer en las batallas

Porte un trozo de raíz de galanga para obtener la victoria en una batalla. Esto funciona particularmente bien si las posibilidades de ganar son escasas. También lo protege de daños personales.

———————————————————————————————— **Visión**

◆ **Hechizo para una visión precognoscitiva**

| una vela color púrpura | un incensario |
| --- | --- |
| aceite vegetal | una pluma de águila, una de halcón y una de cuervo (o una pequeña imagen de cada una de estas aves) |
| artemisa | |

Unja la vela con el aceite y ruédela sobre la artemisa. Enciéndala y diga:

> A la luz de la vela que veo
> La visión psíquica libero.

Ponga un poco de artemisa en el incensario. Enciéndala y diga:

> Artemisa, hierba de los estados alterados, escucha mi oración,
> Satisface mi necesidad de una psíquica visión.

Tome las plumas o las imágenes de las aves con su mano dominante. Atraiga el humo del incienso hacia usted, diciendo:

> Te invoco, Cuervo; te invoco, Halcón;
> Te invoco, Águila; vuelen hacia mí sin vacilación.
> Los invoco a ustedes tres, aves magníficas de caza y gallardía,
> Para que me concedan sus poderes visionarios en este día.
> Tráiganme visiones claras y sueño perfecto,
> Para que pueda ver todo, en efecto,
> Lo que sucederá en el futuro;
> Déjenme ver a través del muro.

De los sucesos del presente
Abran mis ojos al inconsciente.
Concédanme visión perfecta y clara;
¡Como lo deseo, así será!

Siéntese en una posición cómoda, cierre los ojos y grabe en su memoria lo que las aves de caza le muestren.

### ◆ Para recordar visiones

Para recordar visiones con vívidos detalles, use o cargue una esmeralda durante su búsqueda visionaria. Cargue la piedra de energía cantando:

Esmeralda, piedra de claridad,
Visionaria gema de la verdad,
Concede que toda visión sea revelada
Y en mi video mental capturada.

## Visitas indeseables

### ◆ Para hacer que visitas indeseables abandonen su hogar

Ponga la escoba de su casa boca arriba, con las cerdas apuntando al techo. Los huéspedes se irán en breve.

### ◆ Para mantener visitas indeseables alejadas de su casa

Antes de ejercer este hechizo, asegúrese de que todos los miembros de la familia estén dentro de su hogar. Unja todas las perillas del exterior con aceite de pachuli y embarre un poco a través de los umbrales. Las visitas indeseables se mantendrán alejadas.

# Epílogo

durante el tiempo que me tomó escribir este libro, me encontré con que constantemente me era recordado el canto mágico de la vida diaria. Su ritmo me atraía y yo bailaba a su son, encontrando auténtica magia en áreas antes mundanas para mí. La escuchaba en mi chequera al balancearse, en el sonido al encender el motor del carro y en el chasquido de mi computadora para empezar a funcionar cada mañana. Crujía felizmente al son del triturador de alimentos que se tragaba los restos de la cena del día anterior y cuando una pequeña caja gris me anunciaba quién llamaba antes de contestar el teléfono. Ni siquiera la muerte inevitable de un miembro de la familia pudo callarlo. Continuaba vibrando con deleite, ya que la muerte significa renacimiento, nueva vida y posibilidades frescas.

Sin importar lo significativos que estos descubrimientos fueron para mí, el canto evocaba la memoria de algo mucho más urgente. Es la más grande de todas las magias que podemos encontrar en esta vida; lo que da verdadero sentido a la existencia e individualidad humanas. Doreen Valiente lo dijo mejor cuando escribió *The Charge of the Goddess*:

> Si aquello que buscas no lo encuentras dentro de ti,
> Jamás lo encontrarás afuera...

Sí, usted es la fuente de la melodía mágica de la vida, y su tono depende sólo de usted. El ritmo es suyo también y dependiendo de las alternativas que tome, puede o bien cambiar su vida o dejarla tal como está. La decisión es suya; usted es la magia final.

# Apéndices

———◆———

tener a la mano un acervo ilimitado de ingredientes para hechizos, es muy difícil y a veces costoso, por lo que hemos incluido los Apéndices A y B para su conveniencia. Contienen listados de hierbas, plantas, flores y algunos sustitutos de piedras, así como sus asociaciones para uso mágico. Esta lista está lejos de estar completa; cuando se vive una vida mágica, constantemente descubrimos nuevos usos en los dones y bendiciones de la Naturaleza. Utilice estas listas en su provecho y siéntase libre de sustituir los ingredientes cada vez que surja la necesidad.

A aquellos que prefieran sustituir a un dios o diosa en particular por alguno(a) que le sea más familiar, el Apéndice C les proporcionará un listado de deidades y sus relaciones mágicas. Para su comodidad, el sexo de cada uno se encuentra abreviado a un lado del nombre. Si desea investigar sobre el origen o la nacionalidad de algunas deidades —o sobre las leyendas que los rodean—, consulte la sección de mitología de su biblioteca preferida.

———◆———

# Usos mágicos de hierbas, plantas y flores

## Adivinación

Alcanfor

Artemisa

Avellana

Beleño

Diente de león

Granada

Hibisco

Hiedra rastrera

Reina de los prados

Vara de San José o de oro

## Amistad

Chícharo

Frijol tonka

Girasol

Limón

Naranja

Vainilla

## Amor

Aguileña

Álamo negro

Albahaca

Albaricoque

Amapola

Arrayán o mirto

Azafrán

Bálsamo de Judea o de la Meca

Betónica leñosa

Canela

Cardamomo

Cilantro

Clavo

Copal

Cubeba

Damiana

Dicentra

Durazno

Endivia

Enebro

Eneldo

Escutelaria

Fresa

Frijol tonka

Gardenia

Geranio

Helecho

Hibisco

Hierbabuena

Jacinto

Jazmín

Jengibre

Lavanda

Leontopodio

Ligústico

Limón verbena

Lirio acuático

Lobelia

Mandrágora

Manzana

Manzanilla

Maple

Margarita

Mejorana

Menta verde

Milenaria

Narciso

Nébeda

Nuez moscada

Olmo

Orquídea

Pensamiento

Perejil

Pimienta de Jamaica

Piperácea

Prímula

Raíz de Adán y Eva

Raíz de moro

Romero

Rosa

Ruda

Sampinaria

Sauce

Tilo

Tomillo

Toronjil

Tulipán

Vainilla

Verbena

Vincapervinca

Violeta

## Apatía

Hierbabuena

Jengibre

## Apuestas

Manzanilla
Ojo de venado
Pino

## Asuntos legales

Caléndula
Celidonia
Espino cerval
Juncia
Manzanilla
Nogal americano
Raíz de galanga

## Belleza

Aguacate
Culandrillo o cilandrillo
Ginseng
Hamamelis
Lino
Nébeda
Romero
Rosa

## Cacería

Bellota
Ciprés
Enebro
Manzana
Mezquite
Pino
Roble

Salvia
Vainilla

## Chismes

Clavo
Corteza de olmo
Flor de dragón
Lengua de venado
Ortiga
Ruda

## Congoja

Ciclamino
Dulcamara
Durazno
Fresa
Jazmín
Madreselva
Magnolia
Manzana
Milenaria
Toronjil

## Control de la ansiedad

Escutelaria
Valeriana

## Control de la depresión

Azafrán
Bolso de pastor
Celidonia
Espino
Jacinto

Lirio de los valles

Madreselva

Maravilla o dondiego de día

Margarita

Mejorana

Nébeda

Toronjil

## Control de la ira

Almendra

Flor de la pasión o pasionaria

Lavanda

Manzanilla

Menta

Nébeda

Raíz de moro

Rosa

Toronjil

Verbena

## Control del acoso sexual

Alcanfor

Bergamota

Hamamelis

Nitrato de potasio

Verbena

## Control del estrés

Avena

Caléndula

Consuelda

Escutelaria

Flor de la pasión o pasionaria

Hierba de San Juan

Lavanda

Lúpulos

Manzanilla

Ortiga

## Deseos

Ajo

Avellana

Cornejo

Diente de león

Enebro

Frijol tonka

Genciana

Girasol

Hoja de laurel

Lágrimas de David o de Job

Nogal

Romero

Salvia

Saúco

Vainilla

Verbena

Vetiver

Violeta

## Enemigos

Corteza de olmo

Pachuli

## Éxito
Canela
Clavo
Jengibre
Naranja
Raíz de galanga
Serbal
Toronjil

## Éxito en los negocios
Albahaca
Espino
Raíz de cebolla albarrana
Sándalo

## Fortaleza
Artemisa
Bellota
Cardo
Clavel
Hierba de San Juan
Hoja de laurel
Mora
Plátano
Poleo

## Habilidad psíquica
Ajenjo
Anís estrella
Apio
Artemisa
Caléndula
Canela

Citronela
Eufrasia
Hierbabuena
Juncia
Lino
Macia
Madreselva
Milenaria
Raíz de moro
Rosa
Serbal
Té de limón
Tomillo
Uva ursa

## Liberación
Achicoria
Campanilla tropical americana
Ciprés
Lavanda
Lirio acuático
Muérdago

## Lujuria
Abrótano
Ajonjolí
Alcaravea
Anea o espadaña
Canela
Cincoenrama
Clavo
Damiana
Dedalera

Eneldo

Ginseng

Hibisco

Juncia

Lengua de venado

Muérdago

Perejil

Pimienta de Jamaica

Romero

Vainilla

Violeta

Yohimbina

Zanahoria

## Menopausia

Hierbabuena

Lavanda

Salvia

Sanícula

## Poderes mentales

Ajedrea

Alcaravea

Avellana

Espicanardo

Hoja de laurel

Lirio acuático

Lirio de los valles

Marrubio

Menta verde

Nomeolvides

Pensamiento

Ruda

Sándalo

Semilla de apio

Valeriana

Vincapervinca

## Prevención de las pesadillas

Gordolobo

Manzanilla

## Prosperidad

Albahaca

Almendra

Arrayán o mirto

Asperilla

Bergamota

Canela

Cedro

Cincoenrama

Flor de dragón

Frijol tonka

Girasol

Hoja de laurel

Mandrágora

Manzana de mayo

Manzanilla

Mejorana

Menta anaranjada

Pacana

Perejil

Pino

Roble

Trébol

Trigo

Tulipán

Vainilla

Verbena

## Protección

Abedul

Abrótano

Acebo

Aceituna

Agrimonia

Ajenjo

Ajo

Albahaca

Alcaravea

Alga

Alhelicillo

Aloe vera

Angélica

Anís

Arrurruz

Artemisa

Asafétida

Asperilla

Bálsamo de Judea o de la Meca

Bardana

Betónica leñosa

Brezo

Bromelia

Cactus

Cálamo aromático

Caléndula

Canela

Cardo

Cebolla

Cedro

Ciclamino

Cincoenrama

Ciprés

Clavel

Clavo

Comino

Consuelda

Cornejo

Crisantemo

Curry

Datura

Dedalera

Enebro

Eneldo

Eucalipto

Eupatorio

Frambuesa

Gaulteria

Geranio

Ginseng

Gordolobo

Hamamelis

Hiedra

Hierba de San Juan

Hierba pulguera

Hinojo

Hisopo

Hoja de laurel

Jacinto

Juncia o galanga

Lavanda

Lechera

Lila

Lino

Liquen

Lirio

Lirio acuático

Luparia o uva lupina

Madera de sándalo

Madreselva

Malva

Mandrágora

Marrubio

Membrillo

Menta

Mimosa

Mirra

Mora

Mostaza

Muérdago

Olívano

Ortiga

Peonía

Perejil

Pimienta

Pino

Plátano

Poleo

Prímula

Rábano

Raíz de moro

Resina de drago

Retama

Roble

Rosa

Ruda

Ruibarbo

Salvia

Sauce

Saúco

Serbal

Siempreviva mayor

Tilo

Trébol

Tulipán

Valeriana

Valeriana americana

Verbena

Vincapervinca

Violeta

Violeta africana

Yuca

## Robo

Ajo

Alcaravea

Enebro

Genciana

Romero

Saúco

Vetiver

## Sabiduría

Avellana

Espicanardo

Salvia

Serbal

## Salud/Curación
Aceituna
Ajo
Artemisa
Azafrán
Berro
Bolsa de pastor
Canela
Cardo
Cebada
Cebolla
Cedro
Consuelda
Eucalipto
Fruto de caqui
Gaulteria
Ginseng
Heliotropo
Hiedra
Hierba santa
Hierbabuena
Hinojo
Hoja de laurel
Lino
Lúpulo
Manzana
Marrubio
Menta
Mirra
Nuez moscada
Pimienta de Jamaica
Pino
Plátano
Ranunculácea americana

Roble
Romero
Ruda
Sándalo
Sauce
Saúco
Serbal
Siempreviva
Tomillo
Toronjil
Verbena
Violeta
Zarzamora

## Síndrome premenstrual (SPM)
Jazmín
Lavanda
Matricaria
Rosa

## Sueño
Agrimonia
Bolso de pastor
Cincoenrama
Hierbabuena
Lavanda
Lúpulo
Manzanilla
Romero
Saúco
Tilo
Tomillo
Valeriana
Verbena

## Sueños proféticos

- Anís
- Artemisa
- Cincoenrama
- Clavo
- Flor de dragón
- Heliotropo
- Jazmín
- Manzanilla
- Menta
- Mimosa
- Pacana
- Pino
- Romero
- Rosa
- Valeriana

## Suerte

- Acebo
- Amapola
- Anís
- Avellana
- Brezo
- Cálamo aromático
- Campanilla
- Caqui
- Carambola
- Dragontea o serpentaria
- Granada
- Lágrimas de David o de Job
- Naranja
- Narciso
- Nuez moscada
- Pimienta de Jamaica
- Roble
- Rosa
- Tilo
- Vetiver
- Violeta

## Trabajo/Empleo

- Baya de laurel
- Bergamota
- Hoja de laurel
- Pacana
- Pino

## Valor

- Borraja
- Cedro
- Chícharo
- Colombina
- Frijol tonka
- Gordolobo
- Milenaria
- Tomillo

## Viajes

- Alga
- Lavanda

## Victoria

- Aceituna
- Hoja de laurel

## Apéndice B

———◆———

# Usos mágicos de las piedras

**Adivinación**
Amatista
Azurita
Cristal de cuarzo
Hematita
Obsidiana arcoiris
Ópalo
Piedra de la luna o adularia

**Alegría**
Albita
Calcita anaranjada
Crisoprasa
Unakita

**Amistad**
Crisoprasa
Cuarzo rosa

Turmalina rosa
Turquesa

**Amor**
Alejandrina
Amatista
Ámbar
Crisocola
Cuarzo rosa
Diamante
Esmeralda
Jade
Lapislázuli
Lepidolita
Malaquita
Ópalo
Perla
Piedra de la luna o adularia

Rodocrosita
Topacio
Turmalina rosa
Turquesa
Zafiro

## Amplificación
Calcita anaranjada
Cristal de cuarzo

## Apuestas
Amazonita
Ojo de tigre
Venturina

## Belleza
Ámbar
Cuarzo rosa
Jaspe
Ojo de gato
Ópalo
Unakita

## Cambio
Ametrina
Ópalo
Turmalina sandía
Unakita

## Control de ataques psíquicos
Alejandrina
Fluorita

Hematita
Ópalo

## Control de la depresión
Ágata azul
Kunzita

## Control de la ira
Amatista
Cornalina
Lepidolita
Topacio

## Control de malos hábitos
Obsidiana
Ónix negro
Piedra de la luna o adularia

## Control de robos
Circonia cúbica
Granate

## Control del estrés
Ágata moteada
Amatista
Concha de Paua
Crisoprisa
Jade
Jaspe brechado

## Creatividad
- Calcita anaranjada
- Citrina
- Ópalo
- Topacio

## Dieta
- Piedra de la luna o adularia
- Topacio azul

## Elocuencia
- Celestina
- Cornalina
- Esmeralda

## Energía
- Albita
- Ágata veteada
- Cristal de cuarzo
- Granate
- Ojo de tigre
- Rodocrosita

## Espiritualidad
- Amatista
- Lepidolita
- Sodalita

## Éxito
- Amazonita
- Crisoprisa
- Mármol

## Éxito en los negocios
- Ágata verde
- Esmeralda
- Jade
- Lapislázuli
- Malaquita
- Sanguinaria
- Turmalina verde
- Venturina

## Fuerza
- Ágata veteada
- Ámbar
- Circonia cúbica
- Diamante
- Granate
- Sanguinaria

## Habilidad mental
- Citrina
- Cristal de cuarzo
- Esmeralda
- Fluorita
- Venturina

## Habilidad psíquica
- Aguamarina
- Amatista
- Azurita
- Citrina
- Cristal de cuarzo
- Esmeralda
- Lapislázuli
- Piedra bendita o de arena

## Jardinería
Ágata musgosa
Ágata verde
Cristal de cuarzo
Jade
Malaquita

## Lujuria
Albita
Coral
Cornalina
Obsidiana ébano

## Meditación
Cristal de cuarzo
Geoda
Hematita
Sodalita

## Parto
Geoda
Madreperla
Piedra de la luna o adularia

## Paz
Ágata azul
Aguamarina
Amatista
Calcedonia
Coral
Cornelina
Crisocola
Diamante

Kunzita
Lepidolita
Malaquita
Obsidiana
Rodocrosita
Rodonita
Sodalita
Turmalina azul
Venturina
Zafiro

## Pies sobre la tierra
Hematita
Kunzita
Obsidiana
Piedra de la luna o adularia
Sal
Turmalina negra

## Poder mágico
Calcita anaranjada
Cristal de cuarzo
Malaquita
Ópalo
Rubí
Sanguinaria

## Prevención de pesadillas
Calcedonia
Citrina
Lepidolita
Piedra bendita o de arena
Rubí

## Prosperidad
Ágata verde
Concha de abulón
Crisoprisa
Esmeralda
Estaurolita o piedra de la cruz
Jade
Madreperla
Malaquita
Ojo de tigre
Ópalo
Peridoto
Perla
Rubí
Sanguinaria
Turmalina verde
Venturina
Zafiro

Lapislázuli
Lepidolita
Madera petrificada
Madreperla
Malaquita
Mármol
Obsidiana
Ojo de tigre
Pedernal
Peridoto
Perla
Piedra bendita o de arena
Piedra de la luna o adularia
Rubí
Sal
Topacio humo
Turmalina negra
Turquesa

## Protección
Albita
Calcedonia
Citrina
Coral
Cornalina
Crisoprisa
Cristal de cuarzo
Diamante
Esmeralda
Estaurolita o piedra de la cruz
Granate
Jade
Jaspe

## Purificación
Aguamarina
Sal

## Sabiduría
Amatista
Coral
Crisocola
Jade
Sodalita

## Salud/Curación
Adularia o albita
Ágata verde

Ágata veteada
Amatista
Azurita
Coral
Cornalina
Crisoprisa
Cristal de cuarzo
Cuarzo humo
Diamante
Estaurolita o piedra de la cruz
Granate
Hematites
Jade
Jaspe
Lapislázuli
Madera petrificada
Pedernal
Peridoto
Piedra bendita o de arena
Sanguinaria
Sodalita
Topacio amarillo
Turquesa
Venturina
Zafiro

## Separación pacífica
Ónix negro
Turmalina negra

## Sueños
Amatista
Azurita

Citrina
Obsidiana copo de nieve
Ópalo

## Suerte
Alejandrina
Ámbar
Calcedonia
Crisoprisa
Lepidolita
Obsidiana
Ojo de tigre
Ópalo
Perla
Piedra bendita o de arena
Turquesa
Venturina

## Valor
Ágata
Aguamarina
Amatista
Cornalina
Diamante
Hematites
Lapislázuli
Ojo de tigre
Sanguinaria
Turmalina sandía

## Viajes
Aguamarina
Calcedonia

## Apéndice C

———◆———

# Deidades y sus relaciones mágicas

Para su comodidad se han incluido de manera abreviada los sexos de las deidades.

### Adivinación
Adrste (F)

Ashtaroth (F)

Bannik (M)

Carmenta (F)

Dione (F)

Egeria (F)

Evander (M)

Filia Vocis (F)

Gaia (F)

Gwendydd (F)

Innana (F)

Kwan Yin (F)

Mari (F)

Namagiri (F)

Odín (M)

Shamash (M)

Thoth (M)

### Alegría
Amaterasu (F)

Ataksak (M)

Baldur (M)

Fu-Hsing (M)

Hathor (F)

Hotei (M)

Omacatl (M)

Samkhat (F)

Tien Kuan (M)

## Amistad

Hathor (F)

Maitri (F)

Mithras (M)

## Amor

Afrodita (F)

Amón Ra (M)

Anat (F)

Angus (M)

Astarté (F)

Belili (F)

Belit-Ilanit (F)

Benten (F)

Cibeles (F)

Cupido (F)

Erzulie (F)

Hathor (F)

Ishtar (F)

Isis (F)

Kama (M)

Venus (F)

## Armonía

Alción (F)

Armonía (F)

Concordia (F)

Forseti (M)

Kuan-Ti (M)

Paz (F)

## Cambio

Bloedewydd (F)

Brígida (F)

Cerridwyn (F)

Epona (F)

Mujer Araña (F)

Némesis (F)

Perséfone (F)

Rhiannon (F)

Vertumnus (M)

## Cacería

Apolo (M)

Artemisa (F)

Diana (F)

Vali (M)

Ydalir (M)

## Chismes

Tácita (F)

## Clima

*Lluvia*

Agni (M)

Gwalu (M)

Mama Quilla (F)

Melusina (F)

Sadwes (F)

Tallai (F)

*Nieve*

Holle (F)

Kris Kringle (M)

Padre Invierno (M)

*Rayos*
- Agni (M)
- Thor (M)
- Thunor (M)
- Tien Mu (F)

*Tormentas*
- Hadad (M)
- Rodasi (F)
- Tempestad (F)

*Truenos*
- Peroun (M)
- Zeus (M)

*Viento*
- Awhiowhio (M)
- Bóreas (M)
- Eolo (M)
- Oya (F)
- Sarama (F)

## Computadoras y periféricos
- Loki (M)
- Murphy (M)
- Thor (M)
- Zeus (M)

## Comunicación
- Amerigin (M)
- Baduh (M)
- Bharati (F)
- Brígida (F)

- Gadel (M)
- Hashhye-Atlye (M)
- Hermes (M)
- Hu (M)
- Ikto (M)
- Imaluris (M)
- Iris (F)
- Nabu (M)
- Oghma (M)
- Pairikas (F)
- Sarasvati (F)

## Congoja
- Apolo (M)
- Diana (F)
- Gaia (F)
- Luna (F)
- Selena (F)

## Conocimiento
- Apolo (M)
- Binah (F)
- Cerridwen (F)
- Deshtri (F)
- Gwion (M)
- Hanuman (M)
- Hécate (F)
- Hermes (M)
- Kíuei Hsing (M)
- Lugh (M)
- Minerva (F)
- Mnemosina (F)
- Ormazd (M)

Shing Mu (F)
Sia (M)
Tenjin (M)
Toma (F)

## Creatividad

Apolo (M)
Artemisa Calliste (F)
Atenea (F)
Bragi (M)
Brígida (F)
Ilmater (F)
Las Musas (F)
Maya (F)
Minerva (F)
Namagiri (F)
Odín (M)
Ptah (M)
Tvashtri (M)
Veveteotl (M)
Wayland (M)

## Éxito

Anu (F)
Apolo (M)
Diana (F)
Fortuna (F)

## Fertilidad

Acat (M)
Ahurani (F)
Aima (F)
Althea (F)

Amahita (F)
Anat (F)
Apolo (M)
Arianrhod (F)
Astarté (F)
Atergatis (F)
Baal (M)
Baco (M)
Berchta (F)
Bona Dea (F)
Brimo (F)
Ceres (F)
Cupra (F)
Damara (F)
Deméter (F)
Dionisio (M)
Fortuna (F)
Freya (F)
Lono (F)
Ma (F)
Neith (F)
Rea (F)
Wajwer (M)

## Fortaleza

Aquiles (M)
Atlas (M)
Hércules (M)
Thor (M)
Zeus (M)

## Guerra

Ares (M)
Atenea (F)
Eris (F)
Marte (M)
Thor (M)

## Habilidad psíquica

Apolo (M)
Hécate (F)
Odín (M)
Psique (F)
Rowana (F)
Thoth (M)

## Hogar

Bannik (M)
Cardea (F)
Da-Bog (M)
Dugnai (F)
Gucumatz (M)
Hastehogan (M)
Hestia (F)
Kikimora (F)
Los Lares (M)
Neith (F)
Penates (M)
Vesta (F)

## Jardinería

Ceres (F)
Rea (F)
Theano (F)

## Justicia

Aleithea (F)
Anase (M)
Apolo (M)
Astraea (F)
Atenea (F)
Forseti (M)
Hécate (F)
Ida-Ten (M)
Justita (F)
Kali (F)
Las Morganas (F)
Maíat (F)
Mens (F)
Misharu (M)
Mithras (M)
Musku (M)
Syn (F)
Tyr (M)
Varuna (M)

## Liberación

Artemisa (F)
Carna (F)
Diana (F)
Libertad (F)
Libertas (F)
Término (M)

## Lujuria

Afrodita (F)
Arami (F)
Bes (M)

Eros (M)
Hathor (F)
Heket (F)
Indrani (F)
Ishtar (F)
Isis (F)
Lalita (F)
Lilith (F)
Min (M)
Pan (M)
Rati (F)
Venus (F)
Yarilo (M)

## Mascotas

Diana (F)
Líber (F)
Melusina (F)
Pan (M)
Rea (F)
Rhiannon (M)

## Matrimonio

Aramati (F)
Fides (F)
Gaia (F)
Hera (F)
Ida (F)

## Negocios

Atenea (F)
Ebisu (M)
Gaia (F)

Júpiter (M)
Midas (M)

## Nuevos proyectos

Amón Ra (M)
Apolo (M)
Brígida (F)
Cerridwyn (F)
Iris (F)
Jano (M)
Las Musas (F)
Laurentina (F)

## Obstáculos

Atlas (M)
Carna (F)
Jano (M)
Lilith (F)
Syn (F)
Término (M)

## Oportunidad

Brígida (F)
Carna (F)
Jano (M)
Syn (F)

## Parto

Afrodita (F)
Arianrhod (F)
Brígida (F)
Deméter (F)
Gaia (F)

Hera (F)

Ilmater (F)

## Poder

Atenea (F)

Atlas (M)

Kali (F)

Minerva (F)

Zeus (M)

## Poder mágico

Amathaon (M)

Aradia (F)

Ayizan (F)

Cernunnos (M)

Cerridwen (F)

Circe (F)

Dakinis (F)

Deméter (F)

Diana (F)

Ea (M)

Eterna (M)

Gulleig (F)

Habondia (F)

Hécate (F)

Herodias (F)

Holle (F)

Kwan Yin (F)

Mari (F)

Odín (M)

Rangda (F)

Thoth (M)

Untunktahe (M)

## Prosperidad

Anna Koun (F)

Anna Perenna (F)

Benten (F)

Buddhi (F)

Daikoku (M)

Inari (M)

Jambhala (M)

Júpiter (M)

Lakshmi (F)

Ops (F)

Plutón (M)

Vasudhara (F)

## Protección

Aditi (F)

Ares (M)

Atar (M)

Atenea (F)

Auchimalgen (F)

Eris (F)

Hécate (F)

Kali (F)

Marte (M)

Nahmauit (F)

Padmapani (M)

Prometeo (M)

Sheila-na-gig (F)

Shui-Kuan (M)

Syen (M)

Thor (M)

Zeus (M)

## Sabiduría

Atenea (F)
Atri (M)
Baldur (M)
Bragi (M)
Buda (M)
Dainichi (M)
Deméter (F)
Diana (F)
Ea (M)
Ekadzati (F)
Gasmu (F)
Heh (F)
Metis (F)
Minerva (F)
Namagiri (F)
Oannes (M)
Perséfone (F)
Prajna (F)
Sapiencia (F)
Shekinah (F)
Sofía (F)
Thoth (M)
Victoria (F)

## Salud/Curación

Afrodita (F)
Apolo (M)
Artemisa (F)
Asclepius (M)
Brígida (F)
Ceadda (M)
Diancecht (M)

Eir (F)
Escolapio (M)
Gula (F)
Hygeia (F)
Karusepas (F)
Kedesh (F)
Kwan Yin (F)
Liban (F)
Meditrina (F)
Rhiannon (F)
Salus (F)
Tien Kuan (M)

## Suerte

Agathadaimon (M)
Benten (F)
Bonus Eventus (M)
Buda (M)
Chala (F)
Daikoku (M)
Felicitas (F)
Fortuna (F)
Gansea (M)
Kichijo-Ten (F)
Lakshmi (F)
Las Musas (F)
Tamón (M)

## Trabajos lunares

Al-lat (F)
Anumati (F)
Artemisa (F)
Ashima (F)

Belili (F)

Callisto (F)

Diana (F)

Fati (M)

Gou (M)

Iah (M)

Ilmagah (M)

Jerah (F)

Levanah (F)

Luna (F)

Mah (M)

Mani (M)

Re (F)

Selene (F)

## Trabajos solares

Amaterasu (F)

Amón Ra (M)

Apolo (M)

Asva (F)

Aya (F)

Baldur (M)

Bochica (M)

Da-Bog (M)

Dyaus (M)

Eos (F)

Helio (M)

Hiperión (M)

Hsi-Ho (F)

Igaehindvo (F)

Li (F)

Líber (F)

Maui (M)

Sul (F)

Sunna (F)

Sunniva (F)

Surya (M)

## Valor

Apolo (M)

Aquiles (M)

Ares (M)

Artemisa (F)

Atenea (F)

Atlas (M)

Bellora (F)

Diana (F)

Hércules (M)

Marte (M)

Morgana (F)

Nieth (F)

Perséfone (F)

Perseo (M)

## Viajes

Beielbog (M)

Ekchuah (M)

Hasammelis (M)

Kunado (M)

Mercurio (M)

## Victoria

Hércules (M)

Korraual (F)

Nike (F)

Palas Atenea (F)

Victoria (F)

Vijaya (F)

# Glosario

debido a que los términos mágicos no siempre resultan familiares para el público lector en general, en este glosario defino aquellos poco usuales.

**Akasha**. Fuerza compuesta de la interacción del consciente, el inconsciente y el subconsciente. Algunos practicantes de magia la llaman el Elemento del Espíritu, Poder Divino o Ser Supremo.

**Ankh**. Símbolo egipcio de feminidad. Está formado por una cruz de brazos iguales con un círculo encima, y es el signo astrológico de Venus.

**Asperjar**. Rociar con un líquido, por lo regular agua. Asperjar implica remojar una herramienta ritual de algún tipo (una vara mágica, una daga, un manojo de hierbas o una rama) en un líquido, y sacudirla sobre un objeto para bendecirlo o consagrarlo. Los Círculos, los espacios a ser consagrados, o los objetos rituales suelen asperjarse como parte de una ceremonia de purificación o bendición.

**Brazo o mano dominante**. La mano o el brazo que usted utiliza con más frecuencia (para escribir, recoger objetos, etc.) Si es diestro, use su mano o brazo derecho. Si es zurdo, su mano o brazo izquierdo.

**CPU**. Esta abreviatura corresponde a la unidad central de proceso (en inglés, Central Processing Unit/CPU). El CPU es realmente su computadora. Cuando los hechizos le indiquen que coloque algo sobre el CPU, sólo póngalo encima de la computadora.

**Daga ceremonial**. Es un cuchillo consagrado de doble filo, por lo regular con un mango negro, utilizado para invocaciones con Círculos, para escribir en velas y otras actividades relacionadas con rituales. Según la mayoría de las tradiciones pagano/vicanas, la daga jamás debe usarse para extraer sangre.

**Magia**. El cambio de cualquier condición por medio de rituales.

**Pentagrama**. Una estrella de cinco picos, calada. El pentagrama es un símbolo de poder que data de tiempos remotos. Algunos practicantes lo llaman "el Macrocosmos del Hombre" porque cuando nos ponemos de pie con los pies separados y los brazos extendidos, formamos una estrella humana. Con una de las puntas apuntando hacia arriba, el pentagrama simboliza el poder de la mente (Akasha) sobre la materia (los Elementos). Un pentagrama invertido (con dos puntas apuntando hacia arriba) representa la materia sobre la mente .

**Tercer Ojo**. El punto localizado en la frente, justo encima del entrecejo. Dado que se cree que esta área del cerebro alberga todos los componentes de la habilidad psíquica, mucha gente también lo denomina como el punto del "centro psíquico". Cuando un hechizo o ritual le indica que deje fluir un color en particular desde el Tercer Ojo sólo visualice la luz del color que sale ( que brota de ese sitio en su frente.

**Tierra del verano**. Palabra pagana que define el sitio donde reside el Espíritu en el más allá. Algunas personas piensan que es el equivalente pagano del reino celestial.

**Vara mágica**. Herramienta para rituales de conjuros con Círculo, hecha de madera, metal o piedra. Tradicionalmente, la vara no es más larga en diámetro que el pulgar del practicante y es tan larga como la medida entre el doblez del codo y la punta del dedo medio de la mano.

# Bibliografía

Babcock, Michael, *The Goddess Paintings*, Pomegranate Artbooks, Rohnert Park, CA , 1994.

Beyerl, Paul, *Master Book of Herbalism*, Phoenix Publishing, Custer, WA, 1984.

Bremness, Lesley, *The Complete Book of Herbs*: *A Practical Guide to Growing and Using Herbs*, Dorling Kindersley Limited, Londres, 1988.

Brueton, Diana, *Many Moons: The Myth and Magic, Fact and Fantasy of Our Nearest Heavenly Body*, Prentice Hall Press, Nueva York, 1991.

Budapest, Zsuzsanna E., *The Goddess in the Office: A Personal Energy Guide for the Spiritual Warrior at Work*. Harper Collins Publishers, Nueva York, 1993.

Cunningham, Scott, *The Complete Book of Oils, Incenses and Brews*, Llewellyn Publications, St. Paul, MN, 1989.

——————, *Cunningham's Encyclopedia of Crystal, Gem and Metal Magic*, Llewellyn Publications, St. Paul, MN, 1987.

————, *Cunningham's Encyclopedia of Magical Herbs*, Llewellyn Publications, St. Paul, MN, 1986.

David, Judithann H., Ph. D. *Michael's Gemstone Dictionary*, coordinado por J.P. Van Hulle, The Michael Educational Foundation and Affinity Press, Orinda, CA, 1986.

Hamilton, Edith, *Mythology: Timeless Tales of Gods and Heroes*, Mentor Books, Nueva York, 1940.

Hitchcock, Helyn, *Helping Yourself with Numerology*, Parker Publishing Company, Inc., West Nyack, NY, 1972.

Kerenyi, Karl, *Goddesses of Sun and Moon*, trad. por Murray Stein, Spring Publications, Inc., Dallas, 1979.

Kunz, George Frederick, *The Curious Lore of Precious Stones*, Dover Publications, Nueva York, 1971.

Malbrough, Ray T., *Charms, Spells & Formulas*, Llewellyn, St. Paul, MN, 1986.

Medici, Marina, *Good Magic*, Prentice Hall Press, a Division of Simon & Schuster Inc., Nueva York, 1989.

Melody, *Love is in the Earth: A Kaleidoscope of Crystals*, Earth-Love Publishing House, Wheat Ridge, CO, 1995.

Mickaharic, Draja, *Spiritual Cleansing: A Handbook of Psychic Protection*, Samuel Weiser, Inc., York Beach, ME, 1982.

Morrison, Sarah Lyddon, *The Modern Witch's Spellbook*, Citadel Press, Secaucus, NJ, 1971.

Nahmad, Claire, *Garden Spells*, Running Press Book Publishers, Filadelfia, 1994.

Pepper, Elizabeth y John Wilcock, *The Witches' Almanac*, Pentacle Press, Middletown, RI, primavera 1994-primavera 1995.

Renee, Janina, *Tarot Spells*, Llewellyn Publications, St. Paul, MN, 1994.

Riva, Anna, *The Modern Herbal Spellbook: The Magical Uses of Herbs*, International Imports, Toluca Lake, CA, 1974.

Slater, Herman, *The Magical Formulary*, Magical Childe Inc., Nueva York, 1981.

Starhawk, *The Spiral Dance: A Rebirth of the Ancient Religion of the Great Goddess*, Harper & Row Publishers, Inc., Nueva York, 1979.

Tarostar, *The Witch's Spellcraft*, International Imports, Toluca Lake, CA, 1986.

Telesco, Patricia, *Spinning Spells*, *Weaving Wonders*, Crossing Press, Freedom, CA, 1996.

————, *A Victorian Grimoire*, Llewellyn Publications, St. Paul, MN, 1992.

Walker, Barbara G., *The Woman's Encyclopedia of Myths and Secrets*, Harper & Row Publishers, Inc., Nueva York, 1983.

Weinstein, Marion, *Positive Magic*, Phoenix Publishing, Inc., Custer, WA, 1981.

Woolger, Jennifer Barker y Roger J. Woolger, *The Goddess Within: A Guide to the Eternal Myths that Shape Women's Lives,* Ballantine Books, Nueva York, 1989.

# Índice
## analítico